Um novo recomeço

Psicografia de
Vera Lúcia Marinzeck de Carvalho

Pelo espírito
Antônio Carlos

Um novo recomeço

Um novo recomeço
pelo espírito Antônio Carlos
psicografia de Vera Lúcia Marinzeck de Carvalho
Copyright © 2012 by
Lúmen Editorial Ltda.

8ª edição – Junho de 2021

Coordenador editorial: Ronaldo A. Sperdutti
Revisão: Érica Alvim
Projeto gráfico e arte da capa: Casa de Ideias
Impressão e acabamento: Plenaprint

Dados Internacionais de Catalogação na Publicação (CIP)
(Câmara Brasileira do Livro, SP, Brasil)

Carlos, Antônio (Espírito).
Um novo recomeço / pelo espírito Antônio Carlos; psicografia de Vera Lúcia Marinzeck de Carvalho. – São Paulo: Lúmen, 2012.

ISBN 978-85-7813-077-0

1. Espiritismo 2. Psicografia 3. Romance espírita I. Carvalho, Vera Lúcia Marinzeck de. II. Título.

12-12389   CDD-133.93

Índice para catálogo sistemático:
1. Romances espíritas psicografados: Espiritismo   133.93

Av. Porto Ferreira, 1031 - Parque Iracema
Catanduva-SP | CEP 15809-020
17 3531.4444

www.lumeneditorial.com.br | atendimento@lumeneditorial.com.br
www.boanova.net | boanova@boanova.net

2021

Proibida a reprodução total ou parcial desta
obra sem prévia autorização da editora
Impresso no Brasil – *Printed in Brazil*
8-6-21-2.000-64.500

Sumário

CAPÍTULO UM
A carta 7

CAPÍTULO DOIS
A irmã 17

CAPÍTULO TRÊS
Aborrecimentos familiares 29

CAPÍTULO QUATRO
Mais preocupações 44

CAPÍTULO CINCO
Acordando 52

CAPÍTULO SEIS
Conhecendo André 64

CAPÍTULO SETE
Mais decepções 82

CAPÍTULO OITO
O convite 98

CAPÍTULO NOVE
A reunião 112

CAPÍTULO DEZ
Explicações de André 126

CAPÍTULO ONZE
A continuação da vida 142

CAPÍTULO DOZE
Somente vendo os contecimentos 157

CAPÍTULO TREZE
A visita 171

CAPÍTULO QUATORZE
Na clínica 186

CAPÍTULO QUINZE
O auxílio 205

CAPÍTULO DEZESSEIS
Na colônia 217

CAPÍTULO DEZESSETE
Um novo recomeço 234

CAPÍTULO
UM

A carta

Nelson acordou com um gosto amargo na boca. Eram seis horas, o dia começava a clarear. Abriu a janela do seu quarto devagarzinho para não fazer barulho. O ar fresco da manhã o despertou de vez. Tinha o hábito de acordar assim que o sol despontava. Fora dormir cedo no dia anterior.

"Ontem foi um dia exaustivo!", pensou. "Velório é algo deprimente. Recebi os pêsames educadamente das pessoas solícitas. É assim mesmo!", suspirou. "Eu também faço isto, vou a velórios pelo social, cumprimento as pessoas e termino conversando, porque velórios são locais de encontros."

O pai de Nelson, o senhor Antônio, falecera na sexta-feira, à tardinha, e fora enterrado no sábado à tarde. Por ter ficado a noite e o dia todo no velório, voltou, ou melhor, voltaram, ele e a família, para casa exaustos. Depois de tomarem banho e fazerem uma ligeira refeição, foram descansar.

Nelson trocou de roupa. Abriu a porta do quarto e ouviu um barulho na cozinha. "Eliete deve estar ainda dormindo", pensou.

Eliete era sua esposa. Há muitos anos o casal dormia em quartos separados, isto porque ela sofria de insônia e ele roncava. Como um atrapalhava o outro para dormir, resolveram ter cada um o seu quarto.

Ele foi à cozinha e encontrou Zuleica, a empregada de muitos anos, que morava com eles. Tinham duas empregadas. A outra, Mariângela, não vinha aos domingos.

– Levantou cedo, Zuleica – comentou Nelson. – Não está cansada? Ficou também no velório.

– Não consigo ficar na cama depois que amanhece – respondeu Zuleica. – Levantei com fome e vim fazer o café. O senhor dormiu bem?

– Dormi, estava cansado.

– Enterros cansam! A morte para o senhor Antônio foi um descanso. Oitenta e sete anos é muito tempo e ainda mais adoentado. Embora ele tenha piorado mesmo nos últimos seis meses.

Zuleica, percebendo que o patrão não estava com vontade de conversar, calou-se e preparou o desjejum dele.

Ao acabar de tomar seu café, Nelson saiu para a área interna de sua casa. Olhou o local de modo diferente, observou-o como há muito tempo não fazia. A casa fora construída pelo seu pai havia muitos anos. O lugar era uma área grande, uma pequena chácara. Foi escolhido porque, naquele tempo, era sossegado. Seu genitor fez uma enorme casa quando Nelson ainda era pequeno, construiu um parque infantil, depois duas piscinas. No terreno havia uma horta grande e árvores frutíferas. Quando ele foi se casar, o pai construiu outra casa no terreno, menor do que aquela na qual morava atualmente, mas também grande e confortável. A cidade cresceu e no bairro foram construídas muitas residências, então muraram a chácara. O muro era alto e reforçado. Tinham outros empregados: um jardineiro que trabalhava seis dias por semana e folgava aos domingos e um piscineiro uma vez por semana. Embora raramente as piscinas fossem usadas, elas ficavam sempre prontas para o uso.

"Quando casei", pensou Nelson, "moramos quatro anos na casa menor. Com o nascimento da nossa segunda filha, nos mudamos para a casa grande, e meus pais, para a menor".

Nelson e Eliete tinham três filhos. Nelsinho, o mais velho, estava casado e era pai de dois meninos. Ele morava num apartamento grande na área central da cidade, era o braço direito dele na empresa, além de ser trabalhador e honesto. Nelson confiava nesse filho. A segunda filha era Luciana, que fora estudar no exterior e lá conheceu uma pessoa: casou-se e ficou morando em outro país, ela tinha duas filhas lindas. Luciana vinha visitá-los uma vez por ano. Ficavam uns vinte dias, ela com as filhas, em seu lar. Ele também a visitava uma vez por ano, mas Eliete ia mais: na opinião de Nelson, a esposa gostava de viajar. O caçula sempre lhe causou problemas. Alexander ou Alex era rebelde desde pequeno, não gostava de estudar e, agora adulto, não trabalhava, viajava muito, era farrista, trocava de namorada todos os meses. Morava num apartamento pequeno no outro lado da cidade. Aos vinte anos, preferiu morar sozinho. Este filho era a grande preocupação do casal.

Devagar, Nelson foi andando até a casa onde, por anos, seu pai morou. Pensou: "Mamãe era muito palpiteira. Eliete se aborrecia muito com ela. Penso que era mesmo minha mãe que mandava em tudo. Faz doze anos que ela faleceu".

Abriu a porta. A casa estava toda em ordem e limpa.

"Amanhã", Nelson continuou a pensar, "dispensarei os dois enfermeiros, a enfermeira e a empregada que cuidaram do papai. Não sei o que irei fazer com esta moradia. O melhor é deixá-la fechada. O ideal seria Eliete e eu nos mudarmos para cá e Nelsinho com a família virem para a casa em que moramos. Mas com certeza minha esposa não irá querer. Ela gosta muito da mansão, como costuma se referir à nossa residência. Sente-se importante morando lá".

Andou por toda a casa olhando detalhes. "Vou pedir para Eliete doar a cama hospitalar e todos os objetos que serviram ao papai doente. Que outras pessoas usufruam deles. Vou mandá-la doar também as roupas de papai."

Entrou no escritório. Olhou a escrivaninha. Lembrou-se do que seu pai lhe disse várias vezes: "Nelson, meu filho, quando eu morrer você deve abrir as gavetas deste móvel. Mas, somente quando eu morrer".

Sentou-se na cadeira em frente à escrivaninha. Sabia onde estava a chave. Quase desistiu de abrir as duas gavetas. Como certeza nada teria de interessante. Tudo o que o pai possuíra já era dele havia tempo.

Tinha uma empresa próspera, com várias e grandes lojas de material de construção na cidade e região. Sempre fora muito estudioso, dedicado, responsável e trabalhador. Estudava, trabalhava e o pai foi lhe dando participações, ou seja, ações da empresa. Quando sua mãe faleceu, o pai passou tudo para o nome dele. Com a morte de seu genitor, não teria nem inventário.

Mas, como não tinha nada para fazer naquela manhã de domingo, decidiu abrir as gavetas. Na primeira, encontrou fotos antigas de seus pais quando namoravam, do casamento deles e de quando ele era pequeno e adolescente. Olhou-as com carinho. Na segunda gaveta, somente um envelope pardo em que estava escrito: "Para meu filho Nelson. Para ser aberto após a minha morte".

Abriu o envelope. Era uma longa carta, escrita como o pai costumava fazer, com muitos adjetivos, floreando as frases com palavras difíceis e algumas em desuso. Começou dizendo o tanto que o filho foi amado. Depois, um relato até então desconhecido. Ele leu uma, duas vezes. Foi uma surpresa, uma verdadeira revelação.

Nelson continuou sentado, em silêncio, segurando a carta. Pensou no que lera. Seu pai Antônio e sua mãe Catarina não conseguiam ter filhos. Ela até que engravidava, mas abortava. Eles sofriam muito, procuraram vários tratamentos. Numa gravidez, que conseguiu segurar até os cinco meses, o médico aconselhou-os a passar uns dias numa cidade ali perto, balneária. Foram e tudo parecia estar bem até que Catarina perdeu o bebê. Passou muito mal e, por uma hemorragia, teve de ser tirado seu útero. Os dois ficaram muito tristes. Catarina teve alta e não tiveram coragem de falar a ninguém sobre o que havia acontecido e nem de voltar para casa. Como Catarina teve febre, voltaram para o hospital e souberam que uma moça havia morrido ao ter gêmeos, um menino e uma menina. Essa mulher fora esfaqueada pelo companheiro, que fugiu. Chegara ao hospital quase morta e o médico, por uma cesariana, salvou as crianças, que eram muito pequenas. Antônio teve uma ideia: adotar os gêmeos. A avó materna não quis doá-los, porém negociou, ou melhor, vendeu o menino; e essa criança era ele. Antônio comprou para a menina, a nenenzinha, uma casa confortável num local bom e deu dinheiro para a avó. Para todos, essa mulher que havia morrido assassinada tivera somente a menina. Ninguém da família dessa senhora ficou sabendo da transação. Para todos, ele, Nelson, era filho de Antônio e Catarina.

Nelson, ao ler a carta, ficou surpreso, triste e muito aborrecido. A notícia foi mesmo inesperada. Ele sabia, ou pensava saber, que a mãe, no seu parto, havia tido uma hemorragia e teve de retirar o útero, por isso tivera somente ele de filho. Ele nunca desconfiou de que era adotado; tinha certeza de que seus pais eram Antônio e Catarina.

"Por que papai quis que soubesse disto?", perguntou a si mesmo. "Não era melhor eu nunca saber? Não gostei da notícia!"

Triste, leu novamente o fim da carta. Ali estava o nome de sua avó materna, a senhora que o vendeu, o nome de sua irmã gêmea e o endereço da casa que ele, seu pai Antônio, comprou para ela.

– Papai – falou Nelson baixinho –, por que isso agora? Você está querendo me castigar? Será que mereço? Penso que fui bom filho! Por que quis que soubesse dessa adoção com o senhor morto e enterrado?

UM NOVO RECOMEÇO

Ficou pensando, nem viu o tempo passar. Escutou baterem na porta do escritório e Zuleica chamá-lo.

– Senhor Nelson, dona Eliete o está chamando para almoçar!

Nelson colocou a carta no envelope, depois na gaveta, e trancou-a. Foi almoçar.

– Oi, papai – cumprimentou Nelsinho. – Vim somente eu almoçar com vocês. Virgínia – esposa dele –, com os meninos, foi à casa da mãe dela. Como você está? O que estava fazendo na casa do vovô?

– Olá, papai! – disse Alex.

Sentaram à mesa.

– Acordei cedo – contou Nelson – e fui à casa do papai. Quero, Eliete, que você dê todas as coisas dele.

– Vou mandar tudo o que foi do senhor Antônio para um asilo – determinou Eliete.

– Está preocupado, papai? – perguntou Nelsinho.

Nelson contou a eles sobre a carta.

– Será isso verdade? – indagou Nelsinho. – Vovô pode ter se confundido. Embora parecesse bem, estava um pouco confuso ultimamente.

– Por que o senhor Antônio fez isso? – Curiosa, Eliete quis saber. – Deixar uma carta para ser aberta somente quando morresse... Guardar tantos anos um segredo para revelar agora... É muito estranho!

– Por favor, papai – pediu Alex –, não fale sobre isso a ninguém! Vamos guardar segredo. Vovô pode ter se confundido, e essa história pode ser invenção dele. Mesmo se for verdade, nada deve mudar.

– Como assim? Nada deve mudar? – perguntou Nelson.

– Papai – Alex tentou explicar –, esqueça essa carta. Que diferença essa notícia pode fazer em sua vida? Não vá dar um de adolescente revoltado por ser filho adotivo. Para mim, para todos, tudo deve continuar como sempre.

– Alex tem razão – concordou Eliete. – Não sei por que seu pai quis que você soubesse disso com ele morto e você já velho. O melhor é ignorar. Vamos jurar que esse assunto não será mais comentado.

– Pensando bem – falou Nelson –, o melhor mesmo é não falar sobre isso a mais ninguém. Nelsinho, Virgínia não deve saber.

– Papai, tenho agido como você e mamãe me aconselharam: estar atento a quem pode vir a ser "ex". Segredos nossos, da família, minha esposa não sabe nem saberá.

– Você, papai – falou Alex –, é uma pessoa muito importante, rica, e os fofoqueiros irão se deliciar com essa notícia, é capaz até de sair em jornais.

– Não quero comentários desse tipo sobre nós. Vamos guardar segredo! – determinou Eliete.

Os quatro concordaram. Nelsinho e Alex foram embora logo após o almoço. O casal foi para a casa em que o senhor Antônio morou.

– Fomos felizes aqui – comentou Eliete –, porém não quero voltar para cá. Quando entro aqui tenho a sensação de ver sua mãe. Sinto dona Catarina me observando. Vou levar esta cristaleira para nossa casa, sempre gostei dela. Amanhã venho aqui com Mariângela e separo tudo o que será levado para o asilo. Um dos nossos caminhões de entrega poderá vir aqui e levar. O que você quer doar? O que eu posso fazer com os objetos desta casa?

UM NOVO RECOMEÇO

– Eliete, gostaria que você cuidasse disso para mim, então faça como quiser. Somente não se desfaça das fotos. Se nossos filhos quiserem algum móvel poderão levar. Vamos fechar a casa e, uma vez por mês, ela deverá ser aberta e limpa.

Nelson pegou a carta e deu para a esposa ler. Após ela ter lido com atenção, comentou:

– Aqui tem o nome de sua irmã e o endereço da casa doada. Se quer minha opinião, ignore esta carta! Mas, se você quer saber se é verdade, se essas pessoas existem, faça-o discretamente.

– Como? – indagou Nelson.

– Ora, contrate um detetive. Diga que essa mulher, sua suposta avó, foi uma empregada antiga e que você está querendo saber dela.

– E se souber que ela existe e também a suposta irmã, o que faço?

– Se elas não existirem – respondeu Eliete –, é mais um motivo para esse assunto ser esquecido. Se existirem, decidimos depois e com muita cautela. Posso queimar esta carta?

– Pode, mas antes vou anotar os nomes e endereços. Eliete, você compreendia melhor meu pai do que eu. Ultimamente convivia mais com ele. Você sabe por que papai me deixou esta carta?

– Penso que dona Catarina fez o senhor Antônio jurar que não contaria a você sobre a adoção. Seu pai era um homem de palavra. Com certeza pensou que depois de morto anularia a promessa, então resolveu escrever para lhe contar. Não deveria ter escrito.

– Penso como você, papai não deveria ter escrito me contando.

– Se pensa assim, esqueça-a como se nunca a tivesse lido – aconselhou Eliete.

Com tudo decidido, os dois voltaram para a casa e Nelson pensou: "A vida muitas vezes nos parece ser incompreensível. Meu pai nasceu, foi um menino esperto, teve amigos, enamorou-se, casou, trabalhou muito, foi meu pai, teve netos e bisnetos, envelheceu, ficou doente e morreu. Teve poucas horas de velório, onde muitos foram pelo social, e agora, trinta e oito horas depois, parece que nada mais resta dele. Ficará somente nas nossas lembranças e por algum tempo. Ainda escutaremos comentários como 'o senhor Antônio, que foi dono disto ou daquilo', 'o marido de dona Catarina', 'o avô', 'o pai'... Comentários que serão cada vez mais escassos, até serem totalmente esquecidos."

Colocou o papel em que anotou os nomes e endereços na sua carteira. Viu Eliete queimar a carta.

Estava triste, aborrecido e passou o resto do dia calado. Eliete telefonou para Luciana informando-a do falecimento do avô. Não conversaram mais e foram dormir cedo.

CAPÍTULO
DOIS

A irmã

Na segunda-feira, trabalhou como sempre, não tinha nada de diferente para ser feito pelo falecimento de seu pai. O senhor Antônio havia muitos anos não ia à empresa. Nelson tinha uma grande distribuidora de materiais de construção e sete lojas, três na cidade em que residia e quatro espalhadas pelas cidades vizinhas.

Ele pensou bastante no conteúdo da carta que seu pai lhe deixara e resolveu fazer o que Eliete havia lhe aconselhado: saber primeiro se a história era real. Na quarta-feira, aproveitando que Alex viera ao escritório, reuniu-se com seus dois filhos e disse:

– Vou contratar um detetive para verificar se o que meu pai escreveu naquela carta é verdadeiro.

– Para que isso, papai? – perguntou Alex. – Se for verdade, o que irá fazer? Tenha cuidado com parentes pobres, porque eles são como sacos sem fundo.

– Pois eu penso que deve verificar – opinou Nelsinho. – Se esses parentes existirem, podem não ser pobres e, se forem, você, papai, poderá auxiliá-los, assim como ajuda tantas pessoas. Procure saber: a resposta, sendo boa ou não, é melhor do que a dúvida.

– Quero saber se é verdade – determinou Nelson.

A secretária providenciou tudo, logo Nelson estava falando pelo telefone com um detetive. Deu as informações e finalizou:

– Quero que vá neste endereço e tente obter informações sobre estas duas mulheres. Maria, se for viva, deve ser muito idosa: ela foi empregada de meus pais, por isso quero localizá-la. A segunda é Vanda, era neta de Maria e tem a minha idade. Ninguém deve saber, nem elas, que eu as procuro.

– Pode deixar, senhor Nelson, amanhã irei à cidade e lhe darei notícias o mais rápido possível.

De fato, no outro dia à tarde, o detetive veio ao seu escritório.

– O trabalho foi muito fácil, senhor Nelson. Fui neste endereço, é um bairro bom, a casa é velha e está necessitada de uma reforma, mas percebe-se que a residência já foi muito boa. Sobre as mulheres: Maria faleceu há muitos anos, mas a neta Vanda mora na casa. Ela é casada, e o marido está preso há anos. Tem dois filhos e uma filha. Com Vanda moram o filho caçula e a filha, cujo marido também está na prisão. O filho mais velho de Vanda é honesto e trabalhador, é casado e mora em outro bairro.

O filho mais novo não tem muito juízo, parece que apronta muito.

– Obrigado! – Nelson agradeceu e se despediu.

Mandou a secretária pagá-lo. Pensou bastante no que ouviu e resolveu ir, no outro dia, conferir o resto da história. Sentiu vontade de conhecer e conversar com Vanda. Falou que ia até lá somente para Nelsinho. Foi após o almoço. Da cidade onde morava até a que Vanda residia eram somente duas horas de carro. E uma de suas lojas ficava naquela cidade.

Como planejou, às quatorze horas e quarenta e cinco minutos, estava parado em frente ao endereço de sua suposta irmã. Observou bem o local. Era a única casa do quarteirão a estar sem pintar havia muitos anos e a ter a aparência envelhecida. Até então estava tranquilo, mas, ao parar o carro, ficou nervoso e em dúvida: "Será que devo ou não continuar? Se voltar, não irei saber se tenho realmente ou não uma irmã".

Decidiu continuar. Desceu do carro, atravessou a rua e bateu na porta da casa. Uma mulher abriu a porta. Olharam-se.

– Estou procurando Vanda... – disse Nelson.

– Sou eu! – respondeu a mulher. – O que deseja? Vou avisando que não quero comprar nada. O senhor é vendedor? – perguntou ela, observando-o dos pés a cabeça.

– Não sou – afirmou Nelson. – Vim aqui para ter notícias da senhora Maria... sua avó, suponho.

– Minha avó morreu há muitos anos...

– Meu pai a conhecia e...

– Entre, vamos conversar – Vanda o convidou.

Nelson entrou. A casa por dentro estava em situação pior, poucos móveis, e estavam velhos e estragados. Sentou-se numa cadeira que ela lhe ofereceu. Ele, querendo acabar logo com aquele assunto, disse:

– Senhora Vanda, será que poderia me dar algumas informações? Meu pai Antônio conheceu sua avó.

– O casal Antônio e Catarina? – perguntou Vanda.

– Sim. Por acaso sua mãe faleceu assassinada por facadas?

– Morreu, sim – respondeu Vanda. – Minha mãe estava grávida, prestes a ter a criança, quando seu companheiro, meu pai, numa briga, a esfaqueou. Levada ao hospital, foi realizado uma cesariana e eu sobrevivi, mas minha mãe faleceu.

– Você sabe de seu pai? – perguntou Nelson.

– O senhor está querendo saber demais. Por quê?

– Vanda, penso que talvez eu possa ser seu irmão.

Ela o olhou e franziu a testa somente do lado esquerdo, como Nelson sempre fazia. Não eram parecidos, mas, se observasse bem, tinham muitos traços em comum.

– O senhor pode me explicar? – pediu Vanda.

– Meu pai faleceu na semana passada, minha mãe morreu há muitos anos. Papai Antônio me deixou uma carta para eu ler após seu falecimento. Foi então que soube que era filho adotivo. Ignorava até então esta adoção. Na carta, papai me deu detalhes, nomes e o seu endereço. Vim verificar e, pelo pouco que você me contou, talvez seja verdade. Sabe se é gêmea? O que sabe sobre o seu nascimento?

– Quando adulta, indaguei à minha avó como tinha esta casa. Vovó tinha filhos, e todos eram pobres. Vó Maria me contou que, ao doar meu irmão gêmeo para o casal Antônio e Catarina, eles compraram esta casa em meu nome.

– Nunca procurou saber de mim, do seu irmão? – Nelson quis saber.

UM NOVO RECOMEÇO

– Não! – respondeu Vanda. – Com tantos problemas que tive e tenho, realmente não me interessei por este assunto. Depois, não sabia onde nem como procurá-lo. Se você é meu irmão, é bom que saiba que nossa mãe tinha dezenove anos, nós éramos seus primeiros filhos e, com sua morte, os únicos. Vó Maria foi quem me criou e, com esta casa em meu nome, veio com os filhos morar aqui. Com eles casados, nós duas residimos sozinhas aqui por anos. Casei e vovó ficou comigo até falecer. O namorado de nossa mãe, nosso pai, tinha vinte anos quando a tragédia aconteceu. Após seu crime, fugiu, sumiu. Tive notícias dele duas vezes: a primeira, que morava muito longe; e a segunda, que casou e tinha filhos. Com a morte de meus avós paternos, não soube mais dele e nem sei se está ainda vivo. Nunca o vi pessoalmente. A mãe desse assassino uma vez me mostrou um retrato dele, nosso pai, e por ironia me pareço com ele. Não o odeio, mas não gosto desse homem que me deixou órfã.

– Irmãos? Temos irmãos? – Nelson indagou suspirando.

– Não sei nada sobre essas pessoas, nem se são homens ou mulheres ou onde moram, assim como também não sei o nome completo de meu pai. Vó Maria me proibia de ter qualquer contato com a família dele. Ela o odiava por ter matado a filha e por não ter sido preso. Depois, este homem nunca quis saber de mim e não tinha por que querer saber dele. Para mim, este ser foi e ainda é o assassino de minha mãe.

– Sua avó Maria me vendeu... – lamentou Nelson.

– Não fale assim! Você com certeza não sabe como foi a vida dela. Era viúva quando tudo aconteceu. Minha mãe era a caçula de oito filhos. Vovó sofreu muito com a morte da filha que foi assassinada. Somente recebeu ajuda do senhor Antônio.

– Se você tivesse vindo comigo... sua vida teria sido diferente – afirmou Nelson.

– Com certeza! Resta saber se seria pior ou melhor.

Nelson pensou que a irmã tinha razão. Como saber? Ele contou sua vida, os fatos principais sem entrar em detalhes nem citar nomes.

– Sou casado, tenho três filhos e meu pai morava ao lado de minha casa. Recebi ajuda, mas sempre fui esforçado e trabalhador. Nunca senti falta de nada. Estudei, sou engenheiro civil.

– Eu também penso que fui esforçada e trabalhadora – contou Vanda. – Estudei somente quatro anos. Trabalhei muito como empregada doméstica e faxineira. Ainda faço faxinas duas vezes por semana. Nos outros dias, fico cuidando dos meus netos, filhos de minha filha, para ela trabalhar.

Nelson a olhou novamente, tinha, como ele, sessenta anos, mas parecia ter mais idade.

– Como me encontrou? – perguntou Vanda.

– Contratei um detetive.

– Você sabe mais sobre mim? De minha vida?

– Sim, sei – respondeu Nelson.

– Deve então saber que meu marido está preso há doze anos. Numa briga de bêbados num bar, ele matou dois jovens. Meu genro também está preso, mas não é tão culpado como parece. Foi ingênuo ao participar de um roubo na firma em que trabalhava e levou a culpa sozinho. Meu filho mais velho é um amor de pessoa, trabalhador e honesto. Meu caçula me dá algum trabalho. Vou lhe mostrar as fotos deles.

UM NOVO RECOMEÇO

Nelson pensou que era muita coincidência: os filhos de ambos regulavam em idade. Os mais velhos eram homens, pessoas boas e íntegras, as do meio eram mulheres e os caçulas homens e problemáticos. Mas, ao ver as fotos, esforçou-se para não demonstrar seu assombro. Os caçulas eram muito, mas muito mesmo, parecidos.

– Estes são Rogério, Sônia e o mais novo, Marcelo.

Conversaram mais um pouco, falando de suas vidas. Tomaram um delicioso café, e Nelson falou:

– Vanda, quero ajudá-la. O que posso fazer por você e pelos seus?

– Será, Nelson, que você não me ajuda a pagar um advogado para tirar meu genro da prisão? Sônia e os filhos sofrem tanto com a separação, sentem a falta dele.

– Farei isso e muito mais. Vou reformar sua casa, comprar para você móveis novos. Esta televisão é pequena e velha, vou lhe dar uma grande e moderna. Vou também presentear Rogério com alguns eletrodomésticos. Quero lhe dar conforto.

– Nelson, penso que não adianta consertar a casa. Devo muitos anos de impostos, talvez a perca para a prefeitura.

– Vou ajudá-la! – determinou ele. – Não quero que faça mais faxinas. Tenho este dinheiro comigo. Por favor, aceite. Darei a você todo mês uma mesada para que não precise mais trabalhar em faxinas.

Vanda chorou. Abraçaram-se. Despediram-se e ele prometeu que voltaria para visitá-la. Mas não disse seu nome completo nem o que fazia.

Foi à sua loja naquela cidade, chamou o gerente e ordenou:

– Quero que vá reformar uma casa. Aqui está o endereço e o nome da proprietária. Vá lá pessoalmente e verifique o que precisa ser feito. Quero banheiros novos, telhado consertado, tudo reparado e bem pintado. E o serviço deve ser rápido, por isso arrume uma boa equipe. Também quero que contrate o melhor advogado para rever dois processos e se dedicar com empenho para libertar estas duas pessoas. Pegue dinheiro no caixa para essas despesas e anote tudo detalhadamente para me prestar contas. Quero também que você vá à prefeitura e regularize os impostos dessa casa. A dívida pode ser alta, mas deverá ser paga. E, o mais importante, meu nome não deve ser citado. Ninguém deve saber quem está pagando essas despesas. Estou fazendo um favor a um amigo que me reembolsará.

Conversaram sobre suas ordens por alguns minutos. Nelson telefonou para casa avisando que iria se atrasar para chegar.

Despediu-se e foi para uma loja de utilidades domésticas. Lá comprou muitos aparelhos elétricos e a maioria em duplicata, para serem dados ao seu sobrinho Rogério, como prometeu. Comprou também camas, colchões, sofás e sala de jantar para serem entregues em trinta dias na casa de Vanda, tempo em que seu gerente afirmou que acabaria a reforma. Telefonou novamente e pediu a Eliete para convocar os filhos para uma reunião à noite. Satisfeito, voltou para sua cidade e casa.

Nelsinho e Alex chegaram no horário marcado, logo após o jantar. Nelson contou à família o que fizera.

– Cuidado para não exagerar, Nelson – aconselhou Eliete. – Não é bom oferecer ajuda. Ela lhe pediu uma coisa somente: ajudar a pagar um advogado para soltar o genro. Talvez você esteja dando algo que ela não deseja.

– É o que gostaria de receber, então dei – falou Nelson.

– Um cara parecido comigo! Que horror! Não gostei de saber que tenho um sósia por aí.

– Penso, papai, que fez muito bem – opinou Nelsinho. – Não sabia dessa irmã; agora que sabe, é certo ajudá-la. Essa despesa não fará diferença em suas finanças e, para ela, com certeza será de grande auxílio. E também foi cauteloso ao não dizer seu nome completo, onde mora e ter pedido ao gerente para não comentar. Assim eles não vão achá-lo nem importuná-lo.

– Importunar, como? – perguntou Nelson.

– Onde se pega fácil, pode-se pegar mais! – exclamou Alex.

– Nelson, querido – disse Eliete –, você conheceu sua irmã, sabe de sua família, mas não quero, e penso que não queremos, convivência com eles. Não quero que falem que tenho um cunhado assassino e um sobrinho ladrão.

– Papai – falou Nelsinho –, não sou preconceituoso ou pelo menos pensava não ser, mas não quero conviver com esses parentes.

– Você já pensou, papai, na possibilidade de ser chantageado? – perguntou Alex. – "Para não contar que você foi adotado, quero isso" ou "apresentarei minha família aos seus amigos, se não me der aquela quantia".

– Alex, não julgue os outros pelo que você faz! – exclamou Nelsinho.

– Chega deste assunto! – ordenou Nelson, evitando que os filhos discutissem. – Vanda e sua família não têm como saber quem eu sou. Cauteloso, fui lá com o nosso carro reserva. Mas, se souberem ou se ousarem me chantagear, acabo com eles. Fiz o que quis e acabou. Não vamos mais comentar este assunto, alguém pode escutar.

– Isso mesmo! Assunto encerradíssimo! – exclamou Alex.

Os filhos se despediram. Nelson foi para seu quarto e pensou: "Ter um carro reserva é muito bom! Era do meu pai, a placa é de outra cidade, raramente alguém o dirige. Quando quero fazer revisão e abastecê-lo é o jardineiro quem o faz. É ótimo para ir a lugares e não ser reconhecido. Uso-o em alguns encontros..."

Não se preocupou mais com a irmã e foi dormir.

O gerente encarregado de cumprir suas ordens foi informando-o. Foram pagos todos os impostos da casa. O advogado contratado garantiu que o genro de Vanda sairia logo da prisão e o marido dela poderia sair em condicional. A reforma da casa logo terminaria. E apresentou a conta da despesa. Era uma quantia alta. Nelson pensou que gastara muito dinheiro, mas ficou contente por ter ajudado sua irmã.

Quarenta dias depois voltou à casa da irmã, usando novamente seu carro reserva. Estava tudo muito diferente. Gostou do resultado. Vanda, ao abrir a porta, sorriu contente e o abraçou. Puxou-o pela mão. Mostrou alegre a casa. Estava bonita.

– Nelson, queria tanto que voltasse para lhe agradecer. Mil obrigadas! Deus lhe pague!

– Fiz o que prometi!

– Sim, você fez! Pagou os impostos, não perco mais esta casa, que agora está linda e confortável. Rogério mandou lhe agradecer. Sônia está aqui. Sônia! – gritou.

Uma moça veio à sala. Sorriu ao vê-lo.

– Tio Nelson! Posso chamá-lo assim?

Nelson sorriu. Naquele momento, entendeu que ele, que sempre fora sozinho, tinha três sobrinhos. Respondeu:

– Claro que sim. Como está?

– Muito bem. Meu marido logo sairá da prisão! Obrigada, titio.

"Naquele horário, à tarde, Sônia não deveria estar trabalhando?", pensou Nelson.

– Sônia, você não foi trabalhar hoje? – acabou por perguntar.

– Ela largou o emprego – respondeu Vanda. – Como você me disse que não queria que eu fizesse mais faxinas, deixei de fazê-las. E achei melhor Sônia sair do emprego de doméstica e arrumar outro melhor, de balconista talvez.

Nelson pensou que talvez Eliete tivesse razão ao recomendar cautela para não sustentar um bando de vagabundos. Falou que não poderia demorar, deu dinheiro a Vanda como prometera e disse que ia depositar para ela aquela quantia no banco todo dia dez, que ela fosse com documento a determinada agência para retirá-lo.

As duas agradeceram-no muito e ele foi embora não tão satisfeito como da primeira vez. As palavras da esposa ecoavam em sua mente: "Vanda foi criada muito diferente de você. Podem ser irmãos gêmeos, mas são cada um uma pessoa. O modo de vida deles é diverso do nosso. Vanda se casou com um homem que se embriagava, briguento, e por motivos fúteis assassinou duas pessoas, dois homens jovens. A filha, Sônia, também deve ter se casado com a pessoa errada. Alegam que paga por um roubo sozinho, mas participou dele. Tenha cautela para não interferir demais na vida de sua irmã. O que pode ser bom para você talvez não seja para eles".

– É melhor parar minha ajuda por aqui! – falou baixinho.

"Era para Vanda", pensou ele, "idosa, parar de faxinar, de fazer um serviço pesado, parar de trabalhar, mas não a filha. Espero que o marido de Sônia não venha a roubar de novo, nem meu cunhado a matar".

Torceu para que sua ajuda não lhe trouxesse aborrecimentos. Queria gostar de Vanda como irmã. Mas gostar exige convivência, afinidade. Não que não gostasse dela, de seus filhos, mas não sentia amor ou carinho, tanto que se assustou ao ser chamado de "tio". Ecoou na sua cabeça o que Alex lhe falou: "Queria ver se você fosse muito pobre e tivesse ido lá para ter abrigo ou para se alimentar. Como seria tratado? Como seria recebido?".

Ele não tinha como saber. E Alex o preocupava muito. Soubera que o filho caçula estava saindo com más companhias, um grupo de farristas e arruaceiros, para não dizer bêbados, e tinha até medo de pensar, viciados em drogas.

Voltou para casa aborrecido. No outro dia, providenciou para que todo dia dez fosse depositada certa quantia em dinheiro em nome de Vanda.

Resolveu esquecê-los. Não queria ter convivência com sua irmã nem com os filhos dela. E Vanda fizesse o que quisesse com o dinheiro que receberia. Porém, que não lhe pedisse mais.

CAPÍTULO
TRÊS

Aborrecimentos familiares

Dois meses se passaram relativamente sossegados. Nelson foi com a esposa, como haviam planejado, à casa da filha para visitá-los. Foi uma viagem agradável; ele ficou dez dias e deixou Eliete, que ficaria mais tempo com Luciana e as netas.

Quando retornou de viagem, Nelsinho quis ter uma conversa séria com ele.

– Papai, Alex tem gastado muito dinheiro. Desconfio de que esteja até envolvido com drogas. Recebe ordenado e não trabalha. Não veio nenhum dia à empresa enquanto você estava viajando.

– Qual é a sua queixa real, Nelsinho? Alex nunca trabalhou; nas vezes em que vem aqui apenas finge fazer alguma coisa. Você não se importa com isso, ou se importa?

– Não acho justo! – respondeu Nelsinho. – Eu nunca preocupei você ou a mamãe. Penso que sou um bom filho. Aproveitei as oportunidades que me deram, estudei muito, falo quatro idiomas, sou engenheiro como você. Nunca gastei todo meu ordenado, economizei e...

– Está bem – interrompeu Nelson. – Você já tem sua fortuna pessoal. Dei, há cinco anos, uma quantia igual em dinheiro para vocês três. Luciana comprou dois apartamentos, os deixou alugados, e o dinheiro do aluguel fica aplicado. Você comprou o apartamento onde mora. Alex adquiriu aquele apartamento pequeno em que reside e gastou o restante. Você recebe um bom ordenado, trabalha muito e merece. E tem recebido, nestes anos todos em que trabalhou aqui, no fim de cada ano, cotas da firma, é meu sócio. Sei que Alex não trabalha, mas é meu filho e, depois, quem manda aqui sou eu! Faço o que quero!

– Faz o que quer e como quer! – exclamou Nelsinho, sentido e nervoso. – Não deveria ter vindo trabalhar aqui. Trabalho muito, sou interessado, faço a empresa crescer e, quando os bens forem repartidos num inventário, receberemos nós três de forma igual. Os dois não trabalharam e, pior, Alex, se ninguém impedir, acabará com sua parte em pouco tempo. Se o deixássemos com tudo, acabaria com todo nosso patrimônio.

Nelsinho saiu da sala batendo a porta. Nelson ficou nervoso e somente à noite acalmou-se, concluindo que seu filho mais velho tinha razão. Apesar disso, não se desculparia, não admitia nunca estar errado. Aborrecido, pensou muito no que havia acontecido em sua vida. Quando criança, sentia falta de irmãos, queria ter uma família grande.

UM NOVO RECOMEÇO

– Mas será que se tivesse mais irmãos não teriam havido brigas para dividir a fortuna que meus pais me deixaram? – falou baixinho, indagando a si mesmo. Pensou: "Fui mimado, mas também educado com rigidez. Meus pais exigiam que fosse estudioso. Na adolescência, vinha à firma com papai, comecei a trabalhar com dezesseis anos. Multipliquei muitas vezes o patrimônio que herdei. Queria tanto que meus três filhos fizessem o mesmo! Estou decepcionado com os três. Nelsinho se parece muito comigo, não só fisicamente: ele é ambicioso, íntegro e trabalhador. Mas nunca pensei que fosse escutar o que ouvi dele hoje: sobre a herança que irá receber. A impressão que tive ao ouvi-lo é a de que meu primogênito já faz planos para a minha morte. Talvez ele não queira esperar tanto para ser o dono".

Nelson realmente trabalhava muito, mas recebeu a empresa construída e organizada, somente deu continuação. Era filho único, labutava no que era seu. E Nelsinho, ao vir trabalhar com ele, veio como empregado. E ele nunca deixava o filho resolver os problemas mais sérios. Era ele quem mandava.

Sonhava e planejava ter os três filhos juntos, amigos, e administrando a empresa, que ficaria cada vez mais próspera. Sentia por seu sonho não estar dando certo.

"Minha filha", continuou pensando, "tudo indica que não necessitará de minha herança, mas vai receber sua parte. Alex, se continuar neste ritmo de vida, somente gastando, será um estorvo para todos nós e principalmente para o irmão. Nelsinho não irá querer trabalhar para sustentar um inútil, um sócio imprestável e em quem não pode confiar".

Nelsinho ganhava bem, seu ordenado era maior que o dele. Talvez não ganhasse este salário em nenhum outro emprego, mas o filho não reconhecia isso e pensava estar trabalhando para os outros irmãos. Ficou triste, preocupado e aborrecido.

Por dois dias, pai e filho pouco se falaram. No terceiro dia, os dois estavam juntos na sala quando Alex entrou e contou:

– Papai, fui ontem conhecer meu primo, o que é parecido comigo. Não é que nos parecemos mesmo? Rimos muito. Divertimo-nos. Fui conhecer tia Vanda. Eles são legais!

– Alex, você contou quem era? Disse nossos nomes? – perguntou Nelsinho.

– Claro! – Alex respondeu rindo.

Nelson ficou nervoso e tomou um comprimido para controlar a pressão. Esforçou-se para não agredir o filho caçula. Respirou fundo duas vezes e perguntou:

– Filho, eu não lhe pedi para não fazer isso? Por que foi lá? Por que não me disse antes?

– Fiquei curioso. Não gostei de saber que existia um cara parecido comigo. Fui conferir se era verdade. Encontrei-me com Marcelo, rimos bastante das coincidências. Sabe que nascemos no mesmo mês e ano? Dois dias de diferença. Temos a mesma idade. Como simpatizei com ele, fui conhecer tia Vanda. Gostei deles. Comprei roupas novas para Marcelo e os convidei para vir me visitar.

– Alex! – Nelsinho ficou nervoso. – Convidou-os? Não os quero no meu lar. Leve-os para o seu apartamento, já que foi você quem os convidou. Não se pode confiar em você! Inútil! Inconsequente!

Foi então que o telefone tocou e Nelsinho atendeu, estava esperando uma ligação importante. O genitor dos dois rapazes sentou-se, e Alex acomodou-se numa poltrona. Nelson foi se acalmando, sentiu-se um pouco apático. Quando seu primogênito desligou, indagou ao caçula:

– Com que dinheiro você comprou roupas para Marcelo?

– Peguei no caixa da loja de lá. Pensei que você, papai, não se importaria.

– Pois me importo! Auxiliei minha irmã, facilitei como me foi possível a vida deles, mando-lhe dinheiro todo mês, mas não quero intimidade com ela nem com sua família. Deixei isso bem claro. Por que me desobedeceu?

– Por quê?! – exclamou Alex. – Eu é que pergunto: Por que vocês estão achando tão ruim assim minha atitude? Porque eles são pessoas simples? Ou porque dois deles estão presos e não são honestos como vocês?

– Eles já foram soltos? – Nelson quis saber.

– O sujeito casado com a prima Sônia foi. Ele é um cara muito estranho. Estava lá na casa, é quieto e me pareceu estar triste. Tia Vanda me contou que está procurando emprego, mas somente tem achado os mais braçais. Ele espera por um melhor. O marido de tia Vanda deverá sair logo da prisão.

Nelson, que já havia ficado aborrecido anteriormente com a discussão com o filho mais velho e, no momento, mais ainda com as atitudes do caçula, preferiu acabar com a discussão para pensar como resolver aquele problema. Ordenou:

– Alex, não quero, isto é uma ordem, que você volte à casa de Vanda.

– Está bem, ouço e obedeço!

– Agora me deixe com seu irmão, temos muito o que fazer.

– Antes de ir, Alex – disse Nelsinho –, explique ou fale ao papai sobre isto aqui.

Nelsinho mostrou ao pai uma folha de papel. Era um fax da loja da cidade em que Vanda residia. Era de um vale que Alex fez. Uma quantia alta. Nelson pegou a folha, sentou-se e perguntou indignado:

– O que é isto?!

– O dinheiro que peguei para comprar os presentes – respondeu Alex e foi saindo.

Nelsinho o segurou, Alex empurrou o irmão, e os dois trocaram socos.

– Parem! Parem com isso! – gritou Nelson.

Com os gritos, dois funcionários entraram na sala e separaram os dois.

Todos saíram da sala. Nelson ficou sozinho: "O que será que está acontecendo comigo? Estarei velho? Em outros tempos, teria socado Alex até a exaustão. Sinto uma moleza. Mas vou tomar uma atitude".

Muitas vezes ele agia por impulso. Chamou sua secretária e ordenou:

– Passe um fax para todas as nossas lojas e deixe uma ordem aqui na empresa de que Alex não poderá fazer mais nenhum vale, nem pegar nada sem minha autorização por escrito. Peça também para nosso advogado passar quinze por cento das ações da empresa para o nome de Nelsinho.

Acertados os detalhes, ficou mais tranquilo. Com essa atitude, esperava resolver dois problemas: o dos gastos excessivos do caçula e o de justiça com o outro filho, que trabalhava. Com essas cotas que seu primogênito estava recebendo, ele ficaria com vinte e um por cento e, quando ele morresse, seria o maior acionista e administraria a firma como presidente. Acomodou-se na sua poltrona e adormeceu, coisa que não era de sua rotina.

A notícia se espalhou e Nelsinho veio lhe agradecer.

– Papai, não entendi sua atitude para com Alex. Pensei que você fosse esganá-lo. Agora entendo. Agiu certo! Obrigado!

Nelson ficou pensando se agira certo. Em relação a Alex, sim, já deveria ter feito isso. Mas sobre dar quinze por cento das ações ao filho mais velho, ficou em dúvida. Porém, também não costumava voltar atrás em suas decisões. O documento ficou pronto e assinou.

Dias depois, Eliete retornou da viagem e a casa ficou mais alegre. Conversaram bastante, ela contou dos passeios, das netas, do tanto que gostou de estar com a filha. Nelson não contou nada sobre Alex naquela noite. Mas, no outro dia, contou tudo o que o caçula fez. Eliete ficou indignada.

– Você deu um bom castigo a ele. Tomara que dessa vez Alex aprenda. O que iremos fazer se seus parentes vierem aqui?

– Não os receberemos – decidiu Nelson. – O portão não deve ser aberto. Dê essa ordem aos empregados. O que você acha de eu escrever uma carta a Vanda pedindo que esqueça o convite de Alex e dizendo que, no momento, não podemos receber visitas?

– Concordo – afirmou Eliete. – Faça isso ainda hoje. Escreva também que Alex é um irresponsável. E que, quando for possível, você irá visitá-los. Espero que Vanda entenda e não venha nos visitar.

Nelson, assim que chegou ao escritório, escreveu para a irmã e foi taxativo: não queria receber visitas. E que fizesse o favor de não comentar o parentesco. Porque, se essa notícia se espalhasse, ele iria desmenti-la e então não teria mais por que continuar auxiliando-a. Pensou que, com essa atitude, estaria resolvendo o problema ou consertando a imprudência de Alex.

Uma semana depois, Alex telefonou para o pai. Nelson conhecia o filho, percebeu que ele estava furioso, mas com certeza se esforçou muito para não dizer impropérios.

– Pai, passei a maior vergonha. Vim fazer um vale e me foi negado. Quase agredi o gerente e aí ele me mostrou que era ordem sua. Como pôde fazer isto comigo? Todos seus empregados fazem vales. Eles são mais do que eu?

– Eles trabalham, fazem jus ao vale. Você não faz nada! Eles são melhores do que você. Vagabundo! Já recebe um ordenado. Contente-se com ele, senão ficará até sem esse recebimento – xingou o filho, que escutou calado.

Nelson, ao chegar em casa, ainda estava nervoso. Eliete quis saber o porquê e ele contou tudo, falando também sobre a briga dos filhos e finalizando como sempre fazia:

– É culpa sua! O filho é seu! Você não soube educá-lo.

– Eduquei os três igualmente – defendeu-se Eliete. – Não sou culpada! Se sou, você também é!

– Cale-se! – ordenou Nelson. – Sempre trabalhei e você não, sempre teve tempo para eles. Com empregados, sua tarefa era cuidar dos filhos. Deveria ter cuidado melhor deles.

Eliete calou-se e saiu, deixando-o sozinho. Conhecendo o marido, era inútil continuar conversando com ele.

Se respondesse, ficaria pior e poderia, como já acontecera outras vezes, ser agredida, não só verbalmente, mas fisicamente.

Ficavam sempre, após uma discussão, uns dias sem se falarem e depois faziam as pàzes. Dois dias depois, Eliete conversou com ele:

– Nelsinho e a família irão passar o feriado e o fim de semana na praia. Ele me convidou. Posso ir?

– Não sabia que ele ia viajar, não me falou nada, não me convidou.

– Você não gosta de ir à praia, não gosta de viajar. Mas eu gosto – insistiu Eliete.

– Mas, não vai! – exclamou Nelson. – Voltou de uma viagem estes dias. Chega de ficar longe de casa. Nosso lar fica uma bagunça sem você.

– Zuleica e Mariângela cuidam bem de tudo. E você não fica muito em casa. Queria tanto ir...

– Pois não vai e acabou. Não quero mais ouvir falar disso.

No outro dia, Eliete estava com uma blusa fechada no pescoço. Nelson comentou:

– Este calor e você com blusa fechada assim.

– Estou com dor de garganta – respondeu Eliete.

– Seu aspecto não está bom. Está com febre? Já tomou remédio? Ainda bem que não irá viajar.

Eliete não respondeu.

Na madrugada de domingo, Nelson acordou com o telefone tocando. Eliete assustou-se e levantou rapidamente. Um dos aparelhos telefônicos ficava no corredor dos dormitórios. Ela saiu do quarto e atendeu:

– Alex? O que aconteceu? Acidente?

Nelson tomou o telefone das mãos da esposa:

– Filho, o que aconteceu?

– Papai – falou Alex , emprestei meu carro para Marcelo, seu sobrinho, meu primo. Ele tem habilitação, disse que ia dar somente uma voltinha, mas atropelou duas pessoas. A ambulância trouxe os feridos para o hospital São Lucas, estou aqui e não sei o que faço. A atendente disse que tenho de deixar um depósito.

– Já vou aí!

Nelson desligou e, enquanto trocava de roupa, contou a Eliete o que ouvira de Alex.

– Vou lá e você fica aqui.

No hospital, Nelson fez o depósito e pediu para que as duas pessoas feridas fossem bem atendidas. Alex não estava mais no hospital, fora embora. Telefonou para Eliete, tranquilizando-a. Parentes dos feridos, que conheciam a família de Nelson, chegaram e foram conversar com ele:

– Senhor Nelson, seu filho, o mais novo, estava correndo muito, bateu numa árvore, atropelou as duas pessoas que estavam no ponto de ônibus e fugiu.

– Não foi meu filho, foi meu sobrinho.

– Eu o vi, foi o Alex.

– Meu sobrinho é muito parecido com ele. Alex lhe emprestou o carro – tentou Nelson justificar.

– Sua esposa não tem sobrinho; que eu saiba, ela tem somente três sobrinhas.

– É meu sobrinho! – afirmou Nelson.

– O senhor não é filho único? Desculpe-me, o senhor está agindo errado defendendo seu filho dessa maneira.

Se não queria que ninguém soubesse que era adotivo, que tinha uma irmã, agora todos certamente saberiam e por causa do seu caçula. Verificou se as vítimas não precisavam de nada e, ao saber que nenhuma havia se ferido com gravidade, foi para casa.

Ficou muito aborrecido e Eliete também. Alex telefonou à tarde:

– Papai, será que você pode pagar o doutor Matias, o advogado que o atende para ir com Marcelo à delegacia? Passei no hospital e as duas pessoas já foram liberadas. Ofereci dinheiro a elas para não fazerem a denúncia.

– Houve um acidente e Marcelo fugiu. Isso é grave. Quanto você deu aos dois feridos? Como fez isso? Tinha dinheiro?

– Dei dois cheques. Você os cobrirá, não é? Por favor! Não têm fundos. Será um escândalo se estes cheques não puderem ser descontados. Posso pedir ao doutor Matias acompanhar-nos à delegacia? Meu primo está com medo.

– Pode, Alex – respondeu Nelson –, que o doutor Matias os acompanhe. É a última vez que cobrirei cheques seus. Por que você foi se envolver com esses familiares? Por que foi procurar minha irmã? Agora todos saberão que sou adotivo.

– Não se preocupe, papai, ninguém saberá. Já falei com todos, com os feridos e seus familiares, no hospital, e afirmaremos, Marcelo e eu, na delegacia, que ele é somente um amigo parecido comigo. Talvez haja comentários de que Marcelo seja seu filho. Já teve muitas amantes.

Alex não esperou pela resposta e desligou o telefone. Eliete escutou parte da conversa e opinou:

– É melhor confirmar o que Alex está dizendo. Que Marcelo é um amigo dele e que é coincidência eles serem parecidos. Nosso caçula comete muitos atos errados, mas tem qualidades também. Ele é incapaz de negar um pedido, um favor, se puder fazer. Com certeza não teve coragem de negar ao primo, um moço pobre que certamente nunca havia dirigido um carro como o de Alex, o pedido para dar uma volta.

Os dois estavam muito aborrecidos. Nelson queixou-se de dores no peito.

– Tome mais um comprimido, Nelson – aconselhou a esposa. – Com tantas contrariedades, sua pressão pode ter subido. Tome também uma aspirina. Ainda bem que você tem estado menos nervoso. Quando você foi ao cardiologista?

– Sabe que eu vou somente uma vez por ano e, por enquanto, não voltarei lá. Da última vez, fiz todos os exames que o médico pediu e estava tudo bem. Tomo o remédio diariamente, e isso controla bem minha pressão. Vou tomar outro comprimido. O médico disse que posso tomar duas vezes ao dia se sentir que minha pressão subiu.

"Eliete", pensou Nelson, "me conhece muito bem. Ela tem razão. De fato, não estou muito nervoso. Melhor!".

Na segunda-feira, ele telefonou para o advogado, que lhe informou:

– Fui com os dois na delegacia: com seu filho, Alexander, e o outro, Marcelo. Todos nos espantamos com a semelhança dos dois. Marcelo afirmou que pegou emprestado o carro para dar uma voltinha, perdeu o controle, bateu numa árvore e nem sabe como atropelou as duas pessoas. A habilitação dele ficou presa. Tive de pagar a multa, o carro foi liberado e teve de ser guinchado até a oficina mecânica. Mando-lhe a conta dos meus honorários, do guincho e da multa.

Nelson agradeceu e naquele dia trabalhou como sempre. Com o filho mais velho ausente, pois estava viajando, tinha mais serviço.

No outro dia era feriado. Alex foi almoçar com os pais.

– Quero me desculpar e agradecê-lo, papai. Vim a pé, meu carro está na oficina. Mamãe, me empresta o seu carro? É só até o meu ficar pronto.

– Não empreste – respondeu Nelson. – Sua mãe e eu não vamos lhe emprestar nada. Paguei o hospital, vou pagar o doutor Matias e não vou, ouviu bem, não vou pagar mais nada, e isso inclui o conserto do seu carro.

– Mas, papai – suplicou Alex, foi seu sobrinho quem bateu meu carro.

– Sobrinho que estava muito bem na casa dele e em outra cidade, você quem foi lá convidá-lo para vir aqui e lhe emprestou o carro – Nelson falou se alterando.

– Alex, você agiu muito errado! – interferiu Eliete. – Não queríamos que soubessem que seu pai fora adotado. Ele já tinha ajudado a irmã e você estragou tudo.

– Se não quer me emprestar o carro, tudo bem. Papai, por favor, me dê o dinheiro para fazer o conserto do meu – Alex insistiu.

– Não! – respondeu Nelson. – Não lhe dou nem mais um centavo. Receberá somente sua mesada. Prefiro dizer "mesada", porque "ordenado" só recebe aqueles que trabalham.

– Eu inventei uma mentira ao dizer que Marcelo é somente meu amigo, mas as pessoas poderão ficar curiosas para saber a verdade e...

– Você por acaso está me chantageando? – Nelson interrompeu o filho aos gritos.

– Não! Claro que não! – respondeu Alex.

– Não existe prova de nada. Se alguém souber dessa adoção, desmentirei – disse Nelson.

– Acreditarão em nós ou em você? – perguntou Eliete. Ele ordenou:

– É melhor você confirmar sua mentira porque senão serei eu a chantageá-lo. Você não entrará mais nesta casa e será despedido. Sim, despedido, e ficará sem o seu ordenado ou mesada. Ouviu bem?

– Deveria – respondeu Alex – ter entendido que minha mãe é presa ao seu *status* social. Tem que parecer sempre importante para suas amigas, principalmente para aquelas que, uma vez por semana, se reúnem para fazer caridades. Será uma vergonha para você, mamãe, ter parentes pobres.

– Basta, Alex! Saia daqui antes que lhe bata! – gritou Nelson.

Alex saiu correndo. Nem almoçou.

– Que filho, meu Deus! – exclamou Nelson.

Olhou para a esposa, ela sempre defendera o caçula, mas desta vez estava decepcionada com o filho. Mesmo assim, tentou justificá-lo.

– Alex exagerou! Tenho de admitir que ele é rebelde. Quem sabe a lição que lhe demos surta efeito positivo.

Nelson gostava quando a esposa lhe dava razão. Perguntou:

– Como você se sentiria se todos soubessem que sou adotivo?

– Se quer saber a verdade, não é o fato de você ser adotivo, é pela família complicada de sua irmã. Dois presos!

– Você tem razão! Quero esconder esse fato. Não sei se vamos conseguir, mas vamos tentar.

UM NOVO RECOMEÇO

– Penso que o melhor é continuar ignorando-os – falou Eliete. – Se alguém perguntar se é verdade que você foi adotado, afirmaremos que não. Vamos fingir surpresa com a semelhança de Alex e Marcelo. Talvez comentem que Marcelo possa ser seu filho. Mas prefiro que digam isso, que ele é seu filho. Todos os nossos amigos sabem que você já me traiu inúmeras vezes.

Eliete saiu da sala e Nelson ficou sozinho. "De fato", pensou, "traí Eliete muitas vezes. Mas nunca tive outros filhos. Ainda bem! Os três já me dão muito trabalho, ou melhor, Alex me dá mais".

Almoçaram meia hora depois, somente os dois. Não conversaram mais. Passaram a tarde, ela bordando, e ele, lendo os jornais; depois viram televisão e foram dormir cedo.

CAPÍTULO
QUATRO

Mais preocupações

No outro dia, Nelsinho retornou de viagem e Nelson lhe contou tudo o que aconteceu.

– Espero, papai, que você e a mamãe mantenham o castigo.

O castigo foi mantido, e Alex não apareceu nem na firma, nem na casa dos pais. Dez dias depois, Nelsinho foi à sala do pai. Estava preocupado.

– Papai, quero que veja este fax. É da filial da cidade onde sua irmã mora. O gerente da loja pergunta quando irá receber o dinheiro para o pagamento dos empregados, dos impostos e das outras despesas. E lembra que amanhã é o último dia para o pagamento dos salários.

– O que aconteceu?! – indagou Nelson surpreso. – O dinheiro para essas despesas é planejado, fica na conta.

UM NOVO RECOMEÇO

– Pensei que soubesse que esse dinheiro não estava na conta. Vou ligar para o gerente para me informar melhor.

– Ligue daqui de minha sala, quero saber o que está acontecendo.

Nelsinho ligou e o pai ficou escutando somente o que o filho dizia. Curioso, fez que ele fizesse uma pausa para contar o que o gerente falava.

– Papai, Alex levou uma carta datilografada e assinada por você autorizando o gerente a lhe dar uma quantia em dinheiro. O gerente, diante da ordem sua por escrito, deu ao Alex todo o dinheiro que a filial tinha disponível. A quantia é... Ele pensou que a matriz iria repor logo.

– Diga ao gerente – falou Nelson – para nos mandar por fax essa autorização que Alex lhe deu e avise-o que ainda hoje o dinheiro para pagar os salários estará na conta. Amanhã ou depois enviaremos o restante para as demais despesas.

Quando o filho desligou o telefone, Nelson ordenou:

– Veja de onde podemos dispor dessa quantia. Se precisar, tenho dinheiro aplicado na minha conta particular. Faça isso para mim, filho, e depois volte aqui para conversarmos. Agora quero ficar sozinho um pouco.

Nelsinho saiu e foi rapidamente providenciar o que o pai havia lhe pedido. O executivo, ao ficar sozinho, resmungou baixinho:

– Meus Deus! Por que Alex precisou de tanto dinheiro? O que ele fez com essa quantia? O que ele fez foi um roubo! Falsário! Falsificou minha assinatura!

Sentiu um mal-estar e pensou: "Basta ficar nervoso para me sentir assim. Vou tentar me acalmar. Recusei-me a dar o dinheiro para Alex consertar seu carro ou para comprar outro, ele deve ter pegado o dinheiro para isso. Só pode ser!".

Nelsinho entrou na sala meia hora depois.

– Papai, oitenta por cento do dinheiro podemos transferir da firma. O restante tem de ser de sua conta particular. Assine estes documentos, o primeiro é para fazer a transferência. E telefone para o gerente do banco informando a transação. Assine também este outro. É sobre as ações que você me deu, estava errado um número de um dos documentos e teve de ser refeito.

Nelson olhou os documentos, leu alguns pedaços, tudo certo para ele. A transferência do dinheiro de sua conta para a conta da filial e os quinze por cento da transferência das ações. Assinou.

– Vou pedir – falou o Nelsinho – para meu secretário ir agora ao banco.

O filho saiu. Nelson pediu para a secretária localizar Alex e pedir para Nelsinho voltar à sua sala assim que fosse possível.

Logo o filho entrou novamente em sua sala.

– Pronto, papai, ainda hoje o dinheiro estará na conta da filial, e o pagamento dos funcionários poderá ser feito sem atraso. Nosso gerente já foi avisado.

– Filho, transmita novamente a todas as filiais que Alex não poderá de maneira nenhuma pegar dinheiro, nem com minha autorização por escrito. Ninguém poderá dar dinheiro ou o que quer que seja para Alex.

– Vou fazer isso!

– Espere – pediu Nelson –, vamos conversar. O que você acha que Alex fez com esse dinheiro? Comprou um carro?

– Papai, com essa quantia, só se fossem dois carros importados e dos mais caros, ou uns quatro como o que ele tinha. Penso que meu irmão não comprou nada. Alex pegou um dos carros da empresa e há dias está rodando por aí com ele. Deve ter pagado algo ou alguém com esse dinheiro. Farras, festas, bebidas e drogas não ficam tão caro assim. Dívidas com traficantes? Poderia ser, mas é improvável. Papai, será que Alex não pagou pelo silêncio de alguém? Será que não foi ao Marcelo? Pagou ao primo, que coincidentemente se parece com ele, para se declarar culpado em seu lugar?

Nelson pensou que seu filho mais velho poderia ter razão. A quantia que ele pegou era muito alta.

– Quero conversar com Alex. Ele vai ter de me explicar isso e bem explicado!

Nesse momento, a secretária entrou na sala e informou:

– Não consigo localizar Alex. Ele não atende o telefone. Não está em nenhuma filial nem aqui.

Nelson agradeceu e pediu para ela continuar tentando.

– Vou ao apartamento de Alex – decidiu Nelson.

– Irei com você – falou Nelsinho.

O filho foi dirigindo. Foram calados. Ao chegar, Nelson perguntou ao porteiro se o filho estava no apartamento.

– Não vi o Alex hoje – respondeu o porteiro e informou: – Sendo o senhor pai dele, é bom que saiba que os moradores do prédio decidiram, na semana passada, numa reunião, pedir para seu filho se mudar daqui. Ele, com um bando de amigos, se drogam e fazem muita bagunça. Embora eles não tenham ainda importunado ninguém diretamente, fazem barulho, impedindo os moradores de dormirem, e muitos estão com receio dele e de seus amigos. Resolveram que, se Alex não se mudar, irão denunciá-lo à polícia. O senhor quer subir e esperar pelo seu filho? Temos a chave extra de todos os apartamentos, mas talvez nem seja preciso, Alex não costuma trancar a porta de seu apartamento, a turma dele entra e sai quando quer.

Nelson somente concordou com a cabeça e o porteiro subiu com eles.

– Não falei? A porta está destrancada. Entrem e, se eu vir o Alex, digo que o estão esperando.

Os dois entraram no apartamento e se assustaram. Tinha poucos móveis.

– Eliete mobiliou-o todo quando Alex veio para cá.

– Creio que os móveis foram queimados na droga – comentou Nelsinho. – Ou seja, Alex deve ter vendido para comprar entorpecentes. Papai, penso que devemos admitir que ele é viciado. Precisa interná-lo e rápido. Veja que sujeira! Resto de comida espalhado por todos os lados. Olha a cama! Os lençóis estão imundos!

Nelson sentiu-se mal, mas não falou nada ao filho que o acompanhava. Tirou um bloco pequeno de anotações do bolso e a caneta.

– Vou escrever um bilhete para Alex dizendo que tenho urgência em lhe falar.

Escreveu, deixou na geladeira e ambos saíram. Na portaria, deixou outro bilhete. Voltaram ao escritório. Nelsinho, conhecendo o pai, resolveu não falar mais nada e deixá-lo sozinho.

Nelson não estava realmente se sentindo bem.

"Vou tomar outro comprimido para a pressão assim que chegar em casa. Hoje é dia de a Eliete ir se encontrar com suas amigas e não estará no nosso lar quando eu chegar."

UM NOVO RECOMEÇO

Todas as quintas-feiras Eliete saía de casa às dezesseis horas e se encontrava com um grupo de amigas, todas mulheres conhecidas da sociedade, e planejavam juntas os trabalhos de assistência social que iriam realizar, depois lanchavam ou jantavam, e ela voltava para casa quase sempre às vinte e duas horas. A esposa de Nelson gostava desses encontros que, para ele, estavam mais para uma reunião de fofocas. Mas elas auxiliavam muitas pessoas.

Nelson saiu no horário costumeiro para ir para casa, e o caçula não deu notícias.

Zuleica deixara seu jantar na mesa, tudo arrumadinho, como todas as quintas-feiras. Ela dormia num quartinho no fundo da casa. Em seu dormitório tinha televisão, e ela, normalmente às dezoito horas, ia para lá ou saía para visitar seus parentes ou ir ao cinema.

Nelson não jantou, estava sem apetite. Continuava se sentindo diferente, estava com moleza, com uma calma estranha. Já havia tomado um comprimido para normalizar sua pressão arterial pela manhã, mas tomou outro. Viu que no vidro havia somente dois comprimidos.

"Amanhã cedo comprarei o remédio. Parecia que havia mais. Devo ter me enganado."

Ouviu um barulho, olhou pela janela e viu Alex descer de um dos carros da empresa.

– Pai! Pai! – gritou Alex entrando na casa.

– Estou aqui!

– Recebi seu recado. Quer falar comigo? – perguntou Alex.

– Vamos ao escritório.

Entraram e Nelson fechou a porta.

– Alex, quero, ou melhor, exijo, explicações sobre o roubo que fez. Falsificou minha assinatura e fez o gerente lhe dar uma grande quantia de dinheiro. O que fez com ele?

Alex sorriu e se sentou longe do pai, que se sentara numa poltrona.

– Roubei?! Não! Quando um filho pega dinheiro do pai não é roubo. Peguei o que é meu! Como você não quis me dar, tive de pegar.

– Para quê? – perguntou Nelson.

– Quer mesmo saber?

– Você deu ao Marcelo para que ele aceitasse levar a culpa do atropelamento em seu lugar, não foi?

– Você é inteligente! – exclamou Alex. – Admiro isso! É a única coisa que admiro em você. Foi isso mesmo! Estava bêbado e atropelei aquelas duas pessoas. Ofereci dinheiro ao Marcelo para dizer que fora ele. E aí tive de pagá-lo. A culpa é sua!

– Minha culpa?! – Nelson indignou-se.

– Sim, se você não fosse tão tirano e sovina, não precisaria fazer isso. E quer saber mais? Fiz e não me arrependo. Afinal, o dinheiro é meu também.

– Posso deserdá-lo!

– Pode nada! Pela lei, não pode mais deserdar filho nenhum.

– Alex, você se droga? – Nelson quis saber.

– O que é droga para você? Trabalhar demais é um vício, como é também ter amantes, ser mandão, fumar e beber.

– Você usa tóxicos? Sim ou não? Responda! – Nelson gritou.

– Vai me bater? Se for, preste atenção: não sou mais um moleque. Se bater, vai apanhar e muito. Quer resposta?

Sim, me drogo há anos. Como não soube? Respondo com uma pergunta: Quando foi que prestou atenção em mim?

– Saia daqui! Saia! – gritou.

Alex saiu correndo. Nelson ouviu o barulho do carro saindo da propriedade. Sentiu-se mal. Dor no peito, formigamento nas mãos e nos braços, tontura. Foi para o quarto e tomou outro comprimido. Lavou o rosto.

"Amanhã irei ao médico!", pensou decidido. "Vou deitar um pouco. Devo melhorar logo."

Suava muito e a dor aumentou. Tomou mais um comprimido, o último que deixara na mesinha de cabeceira, não conseguiu colocar o copo d'água de volta e o deixou cair. A dor aumentou, quis gritar, pedir socorro ou telefonar para alguém. Não conseguiu. A dor era tão intensa que pensou estar sendo dividido ao meio. Seu peito parecia que ia estourar. Perdeu os sentidos.

CAPÍTULO
CINCO

Acordando

Nelson acordou sentindo tontura, zonzo, como se tivesse bebido muito. Abriu os olhos devagar e viu que estava no seu quarto. A janela estava fechada, mas, pela claridade que vinha dela, deveria ser de tarde. Esforçou-se para raciocinar. Lembrou que parecia, enquanto estava dormindo, estar escutado vozes, conversas, lamentos e até choros. Depois, dormira melhor.

"*A dor!*", pensou. "*Senti dor. Mas agora não a estou sentindo mais.*"

Levantou-se com dificuldade e sentou-se na poltrona que tinha no seu quarto. Olhou para a cama e esta pareceu estar sem o colchão, uma colcha a cobria. A porta do quarto estava aberta. Nesse momento, entraram no aposento Zuleica e Mariângela, as duas conversavam.

UM NOVO RECOMEÇO

– Quando será que dona Eliete irá colocar outro colchão nesta cama? – perguntou Mariângela.

– Nossa patroa – respondeu Zuleica – fez bem em se desfazer do colchão sujo. E com certeza irá fazer modificações neste quarto. Comprar agora outro, para quê? Deverá primeiro resolver como irá modificar este aposento.

– Às vezes em que entrei aqui depois que o senhor Nelson desencarnou, tive a impressão de vê-lo aí deitado, dormindo. Hoje não estou sentindo isso.

– Fale certo! – repreendeu Zuleica. – "Morreu", "faleceu" e não isso aí que você falou e que ninguém entende. É isso que dá frequentar um terreiro, depois fica vendo mortos por aí.

– Não os vejo por aí – defendeu Mariângela –, somente às vezes sinto-os em alguns lugares. Você sabe me dizer para onde vão os desencarnados, ou seja, os defuntos?

– As almas dos mortos vão para onde devem ir. Vamos mudar de assunto, não gosto de falar sobre isso. Tenho medo.

– Só porque ele morreu você tem medo? Teria receio de ver o senhor Nelson?

– Claro! – exclamou Zuleica apressadamente. – Se tinha receio dele vivo... morto, teria pavor. Vamos limpar logo este quarto.

– *Que empregadas abusadas! Vou reclamar com Eliete!* – exclamou Nelson aborrecido.

Levantou-se, foi andando devagar, passou pelo corredor e entrou na cozinha. A mesa estava posta para o chá da tarde, como era de rotina. Foi pegar um pedaço de bolo e não conseguiu. Assustou-se. Estranhou muito. Tentou novamente. Sua mão atravessou o bolo. Fez isso por diversas vezes, e foram infrutíferas suas tentativas.

"Será que estou sonhando?" pensou. *"Tenho a certeza de que acordei. Dormi muito. Não costumo recordar de meus sonhos. Isto nunca aconteceu comigo. Ai, que agonia!"*[1]

Ficou parado tentando entender, quando as duas empregadas entraram na cozinha.

– Dona Eliete – observou Mariângela – não comeu nada. Tem se alimentado pouco.

– Vamos tomar café – disse Zuleica.

Elas se serviram. Nelson ficou perto de Zuleica e sentiu como se estivesse se alimentando. O café forte lhe fez bem. Sentiu-se mais disposto.[2]

---

1 N. A. E.: O leitor já deve ter percebido que Nelson desencarnou no momento em que pensou ter desmaiado, após a dor que sentiu. A maioria de nós, infelizmente, ao desencarnar, não consegue perceber que fez a mudança de plano. Normalmente isso ocorre por falta de conhecimento e merecimento. E parte dessas pessoas pensa que está sonhando ou tendo um pesadelo. E também há muitos como Nelson, que não puderam ser socorridos, uns após horas, outros após dias, em vez de fazê-lo em postos de socorro e colônias na espiritualidade, acordam em cemitérios, hospitais ou em seus lares.

2 N. A .E.: Tenho visto isso ocorrer com muitos desencarnados. Infelizmente, já aconteceu comigo no passado. A desencarnação é um acontecimento para todos. O corpo físico para suas funções e o espírito continua vivo numa outra dimensão e terá uma outra forma de viver. Para aquele que não se preparou para essa mudança, tudo pode lhe parecer estranho demais ou, iludindo-se, pensar que tudo é parecido demais, que nada mudou, e pode se perturbar muito. Nelson não conseguiu pegar os alimentos do plano físico. Mas, ao ficar perto de Zuleica, absorveu os fluidos, as energias dos alimentos ingeridos por ela. Isso não prejudica os encarnados, a não ser que se torne frequente e o desencarnado não se afaste dessa pessoa, podendo ocorrer uma obsessão. Esse caso, da absorção dos alimentos, pode ser inconsciente, por não saber como ocorre, ou o desencarnado o faz consciente, para se sentir alimentado. Pode ocorrer com alimentos, bebidas, cigarros e drogas. O espírito emana as vibrações, energias, e sente que bebeu, fumou, se drogou ou se alimentou. Pode-se considerar esse ato como vampirismo. Pois "vampirismo", segundo Martins Peralta, no livro *Estudando a mediunidade* (Rio de Janeiro: FEB), é a "Ação pela qual espíritos involuídos, arraigados às paixões inferiores, se imantam à organização psicográfica dos encarnados, sugando-lhes a substância vital".

UM NOVO RECOMEÇO

Resolveu procurar a esposa. Encontrou-a na sala de televisão, sentada, distraída na sua poltrona favorita. O aparelho estava desligado e ela estava bordando.

– *Eliete!* – falou Nelson com o tom enérgico que costumava usar para se impor. – *Você precisa repreender suas empregadas. Estão muito abusadas. Tiveram a petulância de ir arrumar o quarto enquanto estava lá e...*

Parou de falar porque Eliete não se mexeu, nem ergueu a cabeça para olhá-lo.

– *O que aconteceu, Eliete? Você parece abatida. Não está me ouvindo?*

Zuleica entrou na sala, então Eliete ergueu a cabeça e colocou o bordado na mesinha.

– Dona Eliete, posso fechar as janelas dos quartos? Limpamos o do senhor Nelson. Não gostou do chá? Comeu pouco. É melhor se alimentar para não ficar doente.

– Pode fechar a casa, Zuleica – respondeu Eliete. – Está esfriando. Faça, para o jantar, somente uma sopa. Nós duas gostamos. Logo Nelsinho passará por aqui. Ofereça a ele um pedaço de bolo, ele gosta muito do seu bolo de fubá.

– *Ei! Eu estou aqui!* – exclamou Nelson em tom alto.

Nada aconteceu, continuaram ignorando-o, e ficaram conversando.

– Amanhã – disse Eliete – fará duas semanas que Nelson se foi. Sinto falta dele!

– É natural, ficaram casados por tantos anos! O Nelsinho está chegando. Vou abrir a porta para ele.

"Ainda bem que meu filho veio", pensou Nelson. *"Ele com certeza não brincará comigo. O que será que está acontecendo?"*

Nelsinho entrou na sala, passou por ele como se não o tivesse visto, aproximou-se da mãe e a beijou no rosto. Sentou-se na outra poltrona, a que ele costumava se sentar.

– Você está bem, mamãe? Zuleica me contou que tem se alimentado pouco. Penso que esta sua apatia é por falta de sair, de se distrair. Foi somente à missa de sétimo dia. Volte, por favor, a se encontrar com suas amigas. Lembro-a de que fazem caridade, e isso é muito importante. E também a distrairá um pouco.

– As pessoas poderão falar se eu sair de casa; depois tem o Alex – respondeu Eliete.

– Mamãe, um dia terá de enfrentar os comentários, mas penso que as pessoas de seu grupo não falarão nada. Quem faz caridade normalmente são as pessoas boas e, com certeza, elas a consolarão. Afinal, ter um filho internado por causa das drogas não é assim tão raro.

– Quando fizer um mês, voltarei às reuniões – afirmou Eliete. – Você tem razão em dizer que as mulheres do grupo são minhas amigas, elas têm vindo me visitar e tentam me consolar. A maioria foi ao velório, e todas à missa de sétimo dia. Você telefonou para a clínica? Teve notícias de seu irmão?

– Telefonei hoje pela manhã. Informaram-me que Alex tem ainda necessidade de receber medicamentos para dormir e para ficar tranquilo. O tratamento deve ser longo.

– Nelsinho, você tem certeza de que interná-lo foi a melhor opção? – perguntou Eliete.

– Mamãe, você pergunta isso porque não viu o escândalo que ele fez no hospital. Quando papai foi levado para lá, já estava morto. E quando Zuleica me telefonou, fui o mais rápido possível para lá. Logo depois chegou Alex, e, ao saber que papai havia falecido, começou a gritar que fora ele quem o havia matado. Gritou tanto e puxou seus próprios cabelos que teve de ser sedado.

Nelson escutava atordoado, não conseguia nem se mexer. O filho fez uma pequena pausa, e ele, que o conhecia bem, percebeu que mentia ao dizer:

– Doutor Fernando me indagou se precisava chamar a polícia.

Mas depois seu primogênito continuou a falar a verdade:

– Você sabe, mamãe, que abriram o peito de papai e foi constatado um infarto.

– Percebi que ele não estava bem. Mas seu pai fazia o que queria e como queria – lamentou Eliete.

– Como sei! Por isso não se martirize! Você poderia ter pedido, insistido, brigado, mas papai fazia o que queria. Sendo assim, não pense que poderia ter feito alguma coisa.

– Mas eu o achei morto no outro dia. Como ele não se levantou, fui ver o porquê e aí já era tarde, Nelson havia falecido. Os médicos disseram que ele sofreu o infarto entre as dezenove horas e trinta minutos e as vinte horas e trinta minutos. Ficou morto sozinho no quarto.

– Mamãe, por favor...

Nesse momento, Zuleica entrou com uma bandeja com bolo e chá, e se intrometeu na conversa.

– Já falei isso para dona Eliete, Nelsinho. O senhor Nelson não escutava ninguém. Se sua mãe chegasse em casa quando ele estava dormindo e ela fosse acordá-lo, ficava nervoso. Aí, minha patroa seria repreendida e, com certeza, com muito mau humor. Como ela poderia adivinhar que o marido havia morrido?

– Você tem toda razão, Zuleica – concordou Nelsinho. – Estava falando à mamãe sobre Alex. Ele, quando chegou ao hospital naquela manhã, fez um escândalo, gritou que havia matado papai. Tiveram de sedá-lo. Expliquei a todos que ouviram seus gritos que ele dissera aquilo por ter sido a causa das preocupações de papai. Todos acreditaram porque foi constatado o infarto. Pedi ao doutor Fernando para deixar Alex dormindo. Não poderia permitir que ele fosse ao velório e ao enterro para dar outro vexame e nos envergonhar. A cerimônia e o enterro foram muito bonitos.

– Você agiu certo, Nelsinho – concordou Zuleica. – Evitou um escândalo. Alex deve ficar o tempo necessário nessa clínica. Não devemos sentir dó dele, está lá para ser curado.

"Nunca pensei que Zuleica tivesse tanta intimidade com Eliete e com meus filhos. Parece que são amigos. Pudera, Zuleica trabalha há muitos anos conosco, e as duas convivem bastante."

– É o que já falei! – exclamou Nelsinho. – E torno a falar: Alex não pode receber visitas nem falar conosco por três meses. Se quisermos vê-lo livre das drogas, devemos permitir que o tratamento seja feito direito. O tempo previsto para ele ficar internado é de um ano.

– Um ano é muito tempo! – exclamou Eliete.

– Eu autorizei a internação – afirmou o filho – e paguei dois meses antecipado. A clínica é cara, mas é ótima. Antes de interná-lo, obtive informações. O neto de Clarisse, sua amiga, esteve internado nessa clínica e parece que saiu curado. Alex está doente e precisa sarar. Por favor, mamãe, não me peça para tirá-lo de lá.

UM NOVO RECOMEÇO

– A senhora não irá fazer isso, não é, dona Eliete? – perguntou Zuleica. – Alex ultimamente estava perigoso – Eliete a olhou séria, e a empregada mudou rápido de assunto. – Luciana telefonou e confirmou que está grávida.

– Que bom! – exclamou Nelsinho. – Tomara que seja um menino. Luciana é uma boa irmã. Conversamos por telefone e ela concordou comigo sobre Alex. Mamãe, vou providenciar o inventário o mais rápido possível. Além do doutor Matias, o advogado que sempre nos atendeu, vou também contratar o serviço de um escritório de advocacia especializado nesse assunto.

– Não é muito recente para fazer o inventário? – perguntou Eliete.

– Mamãe, não se pode perder tempo. Lembro-a de que, quando vovó faleceu, papai quis logo fazer o inventário, estou somente seguindo o exemplo dele. Quanto mais depressa resolvermos essa questão, é melhor. Você não poderá se ausentar da cidade, pois, com certeza, terá que assinar muitos documentos. Com a Luciana grávida, com certeza irá querer ficar com ela, minha irmã necessitará de você, mas não poderá viajar enquanto tudo não for resolvido. Se tem algo a ser feito, devemos então fazer logo.

Zuleica saiu da sala e Nelsinho completou:

– Mamãe, vou providenciar tudo e deixá-la informada. Alex não pode ficar como sócio na firma.

– Ele não será prejudicado, não é? – perguntou Eliete.

– Papai tinha muitos imóveis, podemos dividir de tal maneira que Alex não seja prejudicado. Já lhe falei do que ele fez, não falei? O prejuízo foi grande. Espero que meu irmão sare, porque, talvez, da próxima vez, ele vá para um hospital psiquiátrico ou para uma prisão.

Eliete levou a mão ao pescoço e Nelson percebeu que a esposa se lembrou de que seu caçula uma vez quis estrangulá-la. Foi no dia em que ela mentiu para ele que estava com dor de garganta. Por ter se negado a lhe dar dinheiro, ele apertou seu pescoço. Somente a soltou quando Zuleica a acudiu. As duas guardaram segredo.[3]

Ele ficou pasmo.

– Mamãe – disse Nelsinho continuando a conversar –, este período triste passará. Agora tenho de ir, Virgínia me espera, temos de ir a uma reunião na escola. Qualquer coisa, já sabe: telefone. Peça para Zuleica dormir no quarto de hóspedes. Preocupo-me tanto com você aqui sozinha. Mesmo tendo colocado um guarda aqui à noite, não

---

3 N. A. E.: Nelson, mesmo sem saber, escutou os pensamentos da esposa. Para um desencarnado fazer isso é necessário aprender. Conhecimentos podem pertencer a bons espíritos ou aos mal-intencionados. Mas muitos moradores da erraticidade fazem coisas sem ter conhecimento, fazem pela vontade forte. Muitos volitam sem mesmo conhecer essa possibilidade. Como acontece com diversos socorridos que foram abrigados em postos de socorro e colônias, saem volitando até seus ex-lares porque desejam muito, mas, arrependidos, não conseguem retornar sem ajuda, por não saberem e talvez por não almejarem realmente. Neste caso, nesta história (verídica, a qual mudei somente nomes e alguns detalhes), Nelson conseguiu ouvir os pensamentos da esposa. Muitos desencarnados também conseguem essa façanha por estarem ligados por sentimentos. O casal viveu junto por muitos anos e se conhecia, um sabia quando o outro estava bem ou não etc. E, quando somos levados pela morte do corpo físico a viver no plano espiritual, essa sensibilidade aumenta muito: sente-se essas sensações em relação a alguém por quem se tem interesse, se ama ou se odeia. Eliete pensou no que o filho lhe fez. Alex veio lhe pedir dinheiro, mas, como ela negou, agrediu-a, apertando seu pescoço. Escondeu do marido protegendo o filho, temendo a ira dele. Ter ouvido os pensamentos da esposa foi um ato inconsciente; ele o fez sem entender como nem por quê. Esse fato podemos definir realmente por "ouvir". É como se a pessoa estivesse lhe falando. Porém, o desencarnado que não entende o que acontece, escuta o encarnado, mas percebe que ele não está falando. Muitas vezes alguém no plano físico quer se comunicar com um espírito que mudou de plano e somente consegue isso falando, pois não consegue ouvir os pensamentos. Tanto é que nos trabalhos de desobsessão, o desencarnado necessitado consegue compreender ouvindo o orientador falar.

fico tranquilo. Papai se impunha. Agora, sem ele, tenho receio dos mal-intencionados. Telefonaram novamente?

– Não – respondeu Eliete –, aquele telefonema foi um trote, uma brincadeira.

– Safado! Dizer que você é uma viúva fresca e perguntar se queria companhia?

– Vou pedir para Zuleica dormir no quarto de hóspedes, temos fechado bem a casa, e, se o telefone tocar e perceber que é trote, desligo rápido.

Nelsinho beijou a mãe e, ao se despedir de Zuleica, fez algumas recomendações e, saiu.

Nelson não sabia o que fazer nem o que pensar para entender sua situação. Foi para o seu quarto, não quis se deitar na cama sem colchão, sentou-se na poltrona e ficou pensando: "*Tenho a certeza de não estar sonhando. Estarei louco? Mas 'louco' como? Não se vira um doente mental assim, de repente. Será que morrer é isto? Ou será que resolveram me ignorar? Eles não teriam coragem de brincar comigo assim. O que escutei pareceu-me coerente*".

A campainha tocou, ele se levantou rapidamente e foi para a sala. Viu Zuleica abrir o portão e uma amiga de Eliete entrar. As duas se abraçaram.

– Eliete, cheguei ontem de viagem e quis vir logo para lhe oferecer ajuda e confortá-la. Como está passando, amiga?

– Estou passando por um período difícil. Foi tudo tão inesperado! – respondeu Eliete.

– Conte-me o que aconteceu. Nelson parecia estar tão bem.

– De fato, meu marido parecia estar bem – contou Eliete. – Ele era hipertenso, mas tomava remédios e foi tudo de repente. Sofreu um infarto fulminante. Nunca pensei em ficar viúva.

– Eliete querida – falou a amiga em tom consolador –, ainda bem que não ficamos planejando desgraças. Você é uma pessoa religiosa e sabe que devemos nos conformar com os infortúnios que nos acontecem. O importante é você se cuidar, ir aos médicos e superar este período. Com certeza, se Nelson pudesse vê-la, iria querer que estivesse bem.

"Se morri, quero mais é que todos sofram e que sintam minha falta!", pensou Nelson egoisticamente. *"Você terá de ser uma viúva triste para sempre! Pelo que ouvi hoje, estou quase acreditando que morri."*

Zuleica serviu novamente chá com bolo. Eliete e a amiga passaram a conversar sobre viagens e netos. Nelson continuou ali sentado num canto da sala, escutando-as. Quando a visita foi embora, Zuleica acompanhou-a até o portão e voltou à sala em seguida.

– Dona Eliete, Mariângela já foi embora, a casa está bem fechada, e o guarda já chegou, ficará na garagem da frente. Ele me garantiu que, de meia em meia hora, fará uma ronda em volta da casa e estará atento ao portão. Já arrumei o quarto de hóspedes, irei dormir lá. A sopa está pronta. Vamos jantar?

As duas se dirigiram à sala de jantar, sentaram e se serviram. Nelson percebeu que, quando ele não estava presente, Eliete e Zuleica faziam as refeições juntas. Ele sentou-se perto da esposa e sentiu que se alimentava. Não gostava de sopa, mas o alimento lhe fez bem, sentiu-se fortalecido e aquecido. As duas, depois de jantar, foram ver televisão. Novamente, escutou os pensamentos da esposa: "Gosto de Zuleica, mas ela é minha empregada. Envergonho-me de dizer que minha funcionária de tantos anos é minha melhor amiga. Meu marido nunca aceitaria nossa amizade. Não queria que Zuleica fosse uma doméstica, mas, já que o é, o melhor é continuar sendo na frente de outras pessoas, somente minha empregada. Ainda bem que ela entende isso". Chateado, Nelson foi para seu quarto. Acomodou-se na poltrona e se pôs a pensar: "*Será que a morte é isto? Morrer, ficar como se estivesse vivo pelos lugares e ninguém enxergar? Que tristeza! Se a morte for assim é pior do que eu pensava*".

Cansado, adormeceu.

CAPÍTULO SEIS

Conhecendo André

Nelson acordou com barulho na casa.

"*Dormi na poltrona, com certeza meu corpo irá doer muito*", pensou.

Levantou, espreguiçou-se e não sentiu nada, dor nenhuma.

– Isto é bom! – exclamou.

Resolveu ir ao banheiro e se ajeitar. A porta estava fechada. Ele não conseguiu abri-la, por mais que tentasse. Chateado, foi para a cozinha. Zuleica preparava o desjejum. Nelson ficou perto dela e se sentiu alimentado quando ela tomou o café.

"*Estranho*", pensou ele, "*basta ficar perto de quem se alimenta para sentir-me saciado. Como entender isto?*".

Mariângela chegou, foi tomar o desjejum, e as duas conversaram.

– O guarda é bonitão – comentou Mariângela. – Conversei com ele. Irá terminar seu turno às oito. Ganha mais por trabalhar doze horas. Vou levar uma bandeja com bolos e café para ele. Será que dona Eliete irá se importar?

– Penso que não – respondeu Zuleica. – Quando ela acordar, vou lhe perguntar se você pode levar café para ele. Se nossa patroa permitir, você poderá fazer isso todos os dias.

Nelson notou que Mariângela olhava para onde ele estava. Sentiu seu olhar de reprovação e não gostou. Ela não comentou nada sobre sua mediunidade; ele saiu rapidamente da cozinha e foi para a área dos fundos, no quintal. Sentou-se num banco perto da piscina. Assustou-se quando ouviu:

– *Nelson!*

Olhou e viu um jovem, um moço que o olhava, tentando parecer simpático. Nelson levantou-se, sentiu medo, um frio na barriga. Observou o rapaz, que se vestia como uma pessoa normal, como um jovem de anos atrás, tal qual ele se vestia na sua juventude.

– *Bom dia!* – cumprimentou o moço e se sentou no banco.

– *Bom dia...* – respondeu Nelson baixinho e compassado.

Sentou-se novamente, e os dois ficaram calados. O moço olhava para a piscina e Nelson para ele.

– *Você está me vendo?* – Nelson resolveu perguntar.

– *Vejo-o e o escuto. Por quê?*

– *Porque ninguém tem me visto ou então eles estão me ignorando.*

– *Ninguém o está ignorando. É porque não o estão vendo mesmo.* – Opinou o moço e se apresentou: – *Chamo-me André.*

– *Parece que eu o conheço. Talvez esteja me confundindo. O André que conheci era mais velho e já morreu. Era irmão da Marly, amiga de escola de minha mulher.*

– *Pois sou ele mesmo, irmão da Marly. Preferi ficar assim, um dia eu lhe explico. Vim visitar Eliete, senti-a triste e fiquei sabendo que você morreu. Vi-o dormindo na sua cama e hoje o encontro aqui acordado. Sabe que morreu, não é?*

– *Desconfio que sim. O que é a morte para você?* – Nelson quis saber.

– *Fim de um ciclo e começo de outro. Não acabamos, meu caro, penso que você sabia disso. Com certeza não procurou saber o que de fato seja a morte, não raciocinou sobre esse tema. Tenho uma boa definição para a morte. Li, mas não me lembro onde, algo mais ou menos assim: a morte é o fim da vida de um corpo que virará pó. É o aniquilamento das forças vitais pelo esgotamento dos nossos órgãos materiais. Aí o corpo de carne e ossos, privado do princípio da vida orgânica, acabará. A alma sai, desliga-se do físico e entra no mundo dos espíritos, na espiritualidade. Entendeu?*

– *Entendi, mas e depois? Como é essa entrada no mundo dos mortos?* – Nelson perguntou.

– *Nada fácil!* – respondeu André. – *Porém também não é difícil.*

– *Faz tempo que passou para o lado... de cá ou de lá?*

– *Depende do lugar em que estamos* – André riu. – *Quando estava vestido do corpo físico, referia-me ao plano espiritual por "lado de lá"; agora que estou aqui, para mim, é o "lado de cá". Não faz muito tempo que desencarnei, que mudei de plano.*

– *Você gosta de viver assim?* – perguntou Nelson.

– *Não tenho escolha. Não se pergunta a ninguém se quer mudar de plano. Quando chega a nossa vez, fazemos a passagem. Estou ainda aprendendo a viver deste modo. Existem várias maneiras de viver no plano espiritual. Escolhi uma, talvez não seja a melhor. Minha mãe com certeza diria que não e completaria que eu sempre faço escolhas erradas, mas não vamos falar de mim, falemos de você.*

– *Posso lhe pedir um conselho? Pedir um favor? Será que você não pode me dar algumas dicas, me orientar?*

– *O que quer saber?* – indagou André.

– *O que faço?*

– *Primeiro, não se iluda, não pense que ainda está encarnado. Está vivo, mas vivendo sem a roupa do corpo carnal, que morreu. Você vive em espírito, então descarte a hipótese de estar sonhando ou de que está louco. Somente está vivendo de outra maneira. Se você não se iludir, não se perturbará e tudo ficará mais fácil.*

– *Penso que já estou perturbado* – Nelson lamentou.

– *Não está perturbado. É natural se sentir confuso ao acordar e não ser notado, ser ignorado. Mas se você pensar nesse fato como algo natural, é fácil aceitá-lo. Quando você estava encarnado não via os que haviam morrido, agora são eles que não o veem.*

Calaram-se por um instante. Nelson suspirou, resolveu aproveitar que alguém conversava com ele e perguntou:

– *O que você veio fazer mesmo aqui?*

– *Visitar Eliete.*

– *Como é possível?* – Nelson quis saber.

– *Desencarnado que sabe vai aonde quer.*

– *Por que a visita?*

– *Por favor, não me venha com ciúmes* – pediu André.

– *Eu nunca consegui entendê-lo. Penso que você amou e até ama Eliete. Ama-a, mas foi um tirano doméstico. Sentia ciúmes dela e dizia que era porque não queria ser traído. Mas não estou aqui para criticá-lo. Vou lhe responder: Amei Eliete quando jovem. Tivemos um namorico, namorávamos escondido.*

– *Não sabia que Eliete havia tido um namorado.*

– *Não se preocupe, foi um namoro inocente, de criança. Mas eu a amei. Encontramo-nos poucas vezes, e eu nunca a beijei. Eliete temia a mãe dela, porque se ela descobrisse que a filha se encontrava comigo, colocava-a de castigo.*

– *Minha sogra não era uma pessoa fácil!* – concordou Nelson.

– *Terminamos nosso namoro e não nos encontramos mais. O tempo passou, a vida nos separou. Desencarnado, senti saudades de Eliete, ela foi algo puro para mim. Aí vim vê-la.*

Nelson não sabia o que fazer ou falar. Se isso, essa conversa, tivesse ocorrido antes, com ele no corpo físico, com certeza teria esmurrado André. Porém, no momento, estava vivendo diferente, de uma maneira desconhecida para ele. Não sabia como agir e preferiu ser precavido e usar de bom-senso. O melhor era saber o que acontecia para só depois agir.

– *Você está me dizendo que devo acreditar que morri?* – perguntou Nelson.

– *É o melhor que tem a fazer. Eliete acordou e está tomando café. Vamos nos alimentar?* – convidou André.

André levantou-se e foi até a cozinha, Nelson foi atrás e, admirado, o viu ficar perto de sua esposa.

– *Estou absorvendo a energia dos alimentos. Quer experimentar?*

– *Você precisa ficar assim perto dela?*

– *Preciso* – respondeu André.

– *Por quê?* – Nelson quis saber.

– *Não sei explicar como isso ocorre, só sei que é assim que se faz. Já lhe disse que não precisa ficar com ciúmes. Já fiz minha visita, alimentei-me e vou embora. Tchau!*

André desapareceu. Nelson ficou mais confuso ainda: *Será verdade que fantasmas aparecem e desaparecem quando querem? Mortos são realmente fantasmas? Porém, uma coisa esse André deve ter dito certo: não devo pensar que estou sonhando nem louco. Estou morto! Devo ser precavido como sempre. Em caso de dúvida, devo permanecer calado, esperar e tentar entender melhor as coisas para depois agir com segurança. No futuro, darei a esse André uma lição. Ele é atrevido! Vem visitar minha mulher, fica perto dela e ainda não quer que sinta ciúmes.*

– Dona Eliete, a senhora está preparada? Quer dar mesmo as roupas do senhor Nelson? Quer organizar os pertences que foram dele? – perguntou Zuleica.

– Tenho de fazer, então é melhor que seja logo. Otília ficou de passar por aqui às dezesseis horas para levar as roupas ao bazar. Meu esposo tinha muitas roupas boas e caras. Neste bazar, as roupas usadas são vendidas por um preço irrisório. A pessoa que compra dá valor porque paga por elas, e, com o dinheiro que eles arrecadam com essas vendas, compram alimentos para os pobres.

– Dona Eliete, a senhora não esqueceu do meu pedido, não é? – perguntou Mariângela.

– Não esqueci – respondeu Eliete. – Você me pediu umas roupas para seu pai e seus irmãos. Vou dar algumas para você, outras para o jardineiro e outras ainda para o piscineiro. Vocês duas, venham comigo, vamos ao quarto dele.

Nelson foi junto. Eliete abriu os armários. As três conversavam dividindo as roupas. Ele via e ouvia tudo pasmo, sem saber o que fazer. Aquelas roupas eram dele! Ou tinham sido! Não queria que dessem. Aquele ato era uma prova de que realmente estava morto. Um morto-vivo.

– Esta camisa foi Luciana quem comprou para ele na última visita que fizemos a ela. Esta calça ele gostava muito. Este terno foi feito para o casamento do Nelsinho e ele nunca mais vestiu! – Eliete exclamou e começou a chorar.

Zuleica e Mariângela choraram também. Nelson, emocionado, chorou, sentiu pena dela.

– Vamos parar um pouco – decidiu Zuleica. – É muita emoção! Dona Eliete, por que não deixa isso para depois? Se está tão difícil de fazer, telefone para dona Otília e diga que não teve coragem de mexer nos pertences do falecido.

Mariângela, que já havia separado várias peças, opinou rapidamente:

– O que tem de ser feito deve ser feito. Fará diferença hoje ou daqui a dois anos? O senhor Nelson não irá mais vestir essas roupas. É melhor que estas vestes sejam úteis do que ficarem guardadas: aqui irão estragar e aí, fora de moda, não servirão para nada. Coragem, dona Eliete,

UM NOVO RECOMEÇO

acabe logo com isso. A senhora se sentirá melhor quando terminar.

– Talvez deva doar aos poucos – opinou Zuleica.

– Vamos parar por uns instantes – determinou Eliete. – Leve estas roupas para você, Mariângela, faça isso e agora. Coloque-as numa sacola e leve-as para o seu banheiro. Zuleica, pegue estas e dê para o jardineiro e estas para o piscineiro. Vou chorar um pouco no meu quarto, depois voltaremos aqui; separarei as que Otília levará para o bazar. Pena que Nelsinho não quer nada do pai, e Alex, com certeza, também não. Vou guardar os relógios, os alfinetes de gravatas, as abotoaduras e alguns objetos somente.

Saiu do quarto chorando e foi para o seu. As duas e Nelson escutaram-na chorando alto.

– O senhor Nelson estava muito longe de ser um bom marido, e ela chora assim por ele – comentou Mariângela.

Como Zuleica a olhou séria, Mariângela catou as roupas que ganhou e saiu rápido do quarto. Zuleica foi para a cozinha e Nelson foi atrás. A empregada de tantos anos chorava e ele também chorou. Mariângela entrou na cozinha e comentou:

– Escuto alguém chorar!

– Claro! – exclamou a outra empregada. – Estou chorando, e dona Eliete também.

– É um choro diferente!

Zuleica saiu da cozinha. A jovem funcionária olhou para onde seu ex-patrão estava e falou para si mesma:

– Parece ser o choro de um espírito!

Nelson saiu rapidamente e foi para o fundo do quintal. Sentou-se no chão. Viu Zuleica dar duas sacolas grandes aos ex-funcionários. O piscineiro estava ali naquele dia. Os dois agradeceram e, ao ficarem sozinhos, abriram as sacolas, olharam as roupas e ficaram contentes com os presentes.

"Pelo menos alguém ficou feliz com minha morte! Será que mais alguém se sente assim? Eliete estava chorando sentida, mas será que não se sente aliviada? Será que fui um marido muito ruim? Nelsinho ficará rico, Alex não terá mais, como tinha com a minha presença, empecilho para fazer o que quiser. Não! Não devo pensar assim. Todos sentiram minha morte!"

Continuou sentado no canto e chorou até cansar. Depois de horas, resolveu entrar na casa. Viu na sala de estar cinco sacos grandes com roupas suas. Entrou no seu quarto, onde Zuleica limpava o chão. Os armários estavam quase todos vazios.

– Ainda bem – falou Zuleica para si mesma – que dona Eliete teve coragem e doou as roupas do senhor Nelson. Com essa atitude findou a esperança, acabou a ilusão de que o marido não morrera e que voltaria. Foi melhor. Deixou pouca coisa; da próxima vez dará tudo.

– *De fato, acabou minha ilusão de que poderia estar vivo. Morri mesmo!* – lamentou o recém-desencarnado.

Sentou-se na poltrona e ficou inerte, somente levantou-se quando sentiu o cheiro de alimento, era o jantar. Foi à cozinha, ficou perto de Eliete e sentiu-se alimentado. Assustou-se quando escutou a esposa falar:

– Zuleica, às vezes sinto Nelson perto de mim.

– Isto é natural! – respondeu a empregada amiga. – A imagem dele está impregnada nesta casa. Aqui tudo era feito para agradá-lo. Não será melhor mudar alguns hábitos? Como jantar mais cedo e tomar o café da manhã mais tarde? Nelsinho tem razão, a senhora deve sair e eu também. Não visitei mais meus irmãos, estou com saudades dos meus sobrinhos, não vi mais minhas amigas, não fui mais ao cinema...

– Zuleica, é verdade! – exclamou Eliete admirada. – Você, para me fazer companhia, não saiu mais de casa! Mas amanhã irá sair. Todas as tardes Mariângela ficará comigo. E não se preocupe com o serviço: sem meu marido em casa, não terá muito o que fazer. E pode convidar seus familiares para virem aqui. Era meu esposo que não gostava, mas ele não está mais aqui, não manda mais. Pode receber seus parentes. E também sair à noite com suas amigas. Com o guarda, não me sentirei sozinha.

– Isso é bom demais! Amanhã mesmo, logo após o almoço, vou sair. Saia também! Por que a senhora não vai visitar sua tia que está doente? Irei junto.

– Vou telefonar, se ela estiver em casa, iremos – determinou Eliete.

Nelson viu a esposa telefonar, se arrumar e as duas saírem; andou pela casa e pensou em André: *"Que bom se André viesse aqui de novo. Ele poderia me explicar algumas coisas".*

E logo André apareceu.

– *Pensava em você* – disse Nelson.

– *Eu sei, ou melhor senti, e vim. Preocupei-me com você. Pensei em vir aqui amanhã lhe oferecer ajuda, então senti você pensar em mim e, como não tinha nada para fazer, resolvi vir. O que você quer saber?*

– *Muitas coisas. Vamos nos sentar. A luz da sala está apagada e não sei acendê-la. Como sentiu que pensava em você?*

– *Não sei como* – respondeu André. – *Compreendi aqui deste lado que, para saber, é necessário aprender e estudar. Como nunca gostei de estudar, não compreendo como muitas coisas acontecem. Mas faço uso de algumas delas. É como mexer as mãos, os dedos* – André mexeu as duas mãos. – *Faço e não sei como. Penso que deve ser uma transmissão de pensamento o que ocorreu conosco.*[4]

– *Hoje cedo quis entrar no banheiro, a porta estava fechada e não consegui abri-la* – lamentou Nelson.

– *Vou alertá-lo. Podemos, nós, os desencarnados, passar por portas fechadas, paredes das residências dos encarnados, mas somente fazemos isso se aprendemos. Você me viu aparecer e desaparecer, isto tem nome: é volitação. Locomovemo-nos pela vontade. Não tente fazer isso. Aconselho-o a aprender. Enquanto não aprende, cuidado para não ficar fora da casa. Se perceber que eles vão fechar a casa, entre rápido, porque senão ficará ao relento. Não passará pelas portas fechadas. E fique esperto para não ficar preso em algum cômodo da casa. Você não consegue mais apagar ou acender a lâmpada e não se lamente, não conseguirá mesmo!*[5]

– *Eliete saiu* – comentou o ex-dono da casa.

---

4 N. A. E.: Realmente foi isso o que aconteceu. André estava pensando em Nelson e por isso recebeu os pensamentos dele. Dificilmente receberia se não estivesse sintonizado. Se André não estivesse pensando no casal, receberia só se o pedido fosse insistente. Por isso que se diz: insista, persista para ser atendido.

5 N. A. E.: Para os desencarnados conseguirem realizar um desses atos, como acender, apagar luzes, mover objetos e abrir gavetas ou portas, é necessário primeiro aprender. Não é fácil, necessita-se de muito treino e concentração. Depois, é necessário ter alguém no local com mediunidade de efeitos físicos e somar a isso fluidos da natureza.

UM NOVO RECOMEÇO

– *É natural que saia e vou alertá-lo novamente: não saia daqui, não vá atrás dela. Aconselho-o a não ir a lugar nenhum. Aqui estará protegido. Isso até você aprender a viver neste plano, como desencarnado.*

– *Como faço para aprender?*

– *Estou lhe ensinando* – falou André. – *Vai ter de aprender aos poucos e muitas coisas aprenderá com a experiência. Existem, na espiritualidade, locais próprios para desencarnados viverem e, lá, há quem ensine.*

– *Agradeço seus conselhos e vou ficar alerta. Existem pessoas que podem nos ver?*

– *Existem, são chamados de sensitivos, paranormais ou médiuns.*

– *Penso que Mariângela pode me ver* – contou Nelson.

– *Isso também é preocupante! Se ela frequentar algum lugar em que trabalhem com essa mediunidade, eles podem interferir em sua vida.*

– *Escutei Zuleica falar que Mariângela vai a um terreiro.*

– *Com certeza ela vai a reuniões mediúnicas* – corrigiu André. – *Vou lhe dar mais um conselho, não fique perto de Mariângela. Isso porque se ela o sentir, ver, poderá pedir ajuda para você ao grupo. Aí os enxeridos, que estão sempre querendo ajudar sem o interessado, neste caso você, pedir, podem vir aqui para levá-lo.*

– *Para onde?* – Nelson quis saber.

– *Isso depende. Se o grupo for de pessoas boas, que gostam de fazer o bem, a caridade, levarão você para um local organizado, mas se o grupo não for sério, talvez o prendam.*

"*Vou fugir de Mariângela*", decidiu Nelson preocupado e mudou de assunto.

– Você afirmou que foi apaixonado por Eliete. E ela, gostou de você?

– Gostar até que gostava – respondeu André –, *mas ela não era apaixonada por mim. Eliete amou mesmo foi outro. Infelizmente não era você.*

– Explique!

– *Escutei você pedir "por favor"? Penso que sim. Vou lhe contar. O pai de Eliete tinha uma marcenaria nos fundos da residência dele, não tinha? Ela se enamorou por um mocinho que trabalhava lá. Mas ele era ambicioso, namoraria somente uma pessoa que fosse rica. Disse isso a ela e a aconselhou a fazer o mesmo. Sua sogra com certeza não iria consentir aquele namoro e, quando você se interessou por ela, forçou-a a namorá-lo. Penso que Eliete deve ter sido, no começo do namoro, indiferente, talvez seja por isso que você tenha se apaixonado. Este moço arrumou outro trabalho, e os dois não se viram mais. Eliete o amou, penso que ele não correspondeu ao sentimento dela. Eliete nunca o traiu, mas sempre pensou nele. Essa pessoa não merece o carinho dela, é um mau-caráter e cometeu muitos atos errados para enriquecer mais, além de ter muitas amantes. Eliete pensa que se fosse ela quem tivesse se casado com ele, não seria traída. Creio que sua esposa aguentou suas traições porque vivia na ilusão de amar essa pessoa e de ser amada.*

– E agora? – perguntou Nelson. – *Morri e ela está viúva. Será que os dois ficarão juntos?*

– *Penso que não! O sujeito é safado! Ele nem pensa nela. Fui visitá-lo e sondei-o. Fiz isso por curiosidade e por ter muito tempo, pois não faço nada. Ele não tem e não quer pessoas que já deixaram a juventude para amantes.*

Quer somente mocinhas para se divertir. Mas, se Eliete quiser ter alguém, você não poderá impedir. Quer me pedir mais alguma coisa?

– Como faço para me arrumar melhor? Não consigo trocar de roupa.

– Vamos ao seu quarto.

Lá, André olhou para as roupas que ficaram.

– *Vou ensiná-lo. Pense forte numa roupa que foi sua e que gostava. Vou ajudá-lo a fazer isto. Pronto! Aqui está, pode trocar-se.*

– *Como conseguiu fazer isso? Parece mágica!* – exclamou Nelson.

– *Você pensou na roupa, eu me concentrei, e nós dois juntos a plasmamos. Nós a desejamos, por isso nos foi possível criá-la. Detalhes, não sei; somente sei que é assim. Agora vou embora, irei para o lar de meu filho, ele está viajando. Cuido do apartamento dele.*

– *Antes de ir, me responda, por favor: Como cuida do lar de seu filho? Consegue impedir os ladrões de entrarem nele?* – Nelson indagou curioso.

– *Por mais que eu queira, não consigo impedir ladrões ou quem quer que seja de entrar no lar do meu filho. Somente tento impedir desencarnados de entrarem no apartamento. Gostaria de impedir tudo de ruim a esse meu filho, queria que nada de mau acontecesse a ele. Mas, infelizmente, não posso, não consigo, e nenhum desencarnado consegue; isso porque todos têm o livre-arbítrio, fazem o que querem e recebem de volta o que fazem. Pode, neste momento, isso que falei ser difícil para você, mas não é. Um dia entenderá que somos e recebemos o que fazemos. Alguns estudiosos religiosos afirmam ser esta Lei a da Ação e Reação. Amanhã à noite eu volto. Tchau!*

André desapareceu e o ex-dono da casa foi para o seu antigo quarto, onde se acomodou na poltrona e ficou muito triste e aborrecido. *"Será que André tem razão?"*, pensou Nelson. *"Falou a verdade? Eliete quando jovem gostou de outro? Será que ela se casou comigo porque eu era rico? Que decepção!"*

Inquieto, foi para a sala, ficou esperando-as. Eram vinte e duas horas e quarenta minutos quando as duas entraram na casa conversando.

– Está vendo, dona Eliete, como fez bem sair? Sua tia ficou tão contente com sua visita!

– É verdade – concordou a dona da casa. – Titia ficou feliz em me ver. Foi uma visita realmente agradável. Amanhã visitarei minha prima que se recupera de uma cirurgia. Estou pensando... se Nelson estivesse vivo, nunca poderia chegar em casa a esta hora. Como também não iria me deixar visitar essa minha tia. Ou então, se quisesse ir, teria de sair à tarde ou escondida dele.

– Esqueça um pouco do meu ex-patrão – aconselhou Zuleica. – Não é bom ficar falando do defunto. A senhora estava alegre, distraiu-se com a conversa agradável de sua tia.

– Foi bom mesmo relembrar o passado. E Nelson faz parte dele. Faz-me bem falar de meu esposo. Gostei de lembrar de meu tempo de mocinha, de meu pai, amei muito meu genitor. Minha tia não simpatizava com meu marido.

– Por que sua tia não gostava do seu esposo? – perguntou Zuleica.

– Titia achava-o arrogante. Quando comecei a namorá-lo, ela de fato aconselhou-me pedindo para escutar mais meu pai que minha mãe. Embora mamãe fosse sua irmã, titia achava-a ambiciosa por querer que minha irmã e eu casássemos com pessoas ricas. Minha tia queria que eu insistisse, me rebelasse e ficasse com o mocinho que gostava.

– A senhora não ficou com ele por causa de sua mãe? – curiosa, Zuleica quis saber.

Nelson escutava-as atento e aguardou a resposta, também muito curioso.

– Ele pensava como minha mãe, era ambicioso, queria uma moça rica para se casar e se dar bem. Chegou a me aconselhar, a dizer que minha mãe estava certa, que devia seguir seus conselhos.

– Talvez ele não a amasse de verdade.

– Penso – Eliete suspirou – que me amava, mas gostava mais da riqueza. Decepcionada, acabei ficando com Nelson porque ele estava apaixonado por mim. Mas isso ficou na juventude. Amei Nelson, fui fiel, tentei ser boa esposa. Foi melhor! Como titia me aconselhou, devo me recordar somente dos bons acontecimentos.

– Dona Eliete, se esse homem que amou no passado a procurasse, o que a senhora faria?

– Não iria querê-lo – afirmou Eliete. – Ele é mau-caráter. Depois, é casado, e a esposa dele teve e tem uma vida parecida com a que tive. Ele é um tirano que sempre teve amantes e se gaba de gostar de jovenzinhas. Não quero outra pessoa; serei, até morrer, viúva. O que tenho será somente de meus filhos. Embora meu esposo fosse nervoso, bravo, tudo tinha de ser como ele queria, sinto sua falta, era meu companheiro e tinha certeza de que ele cuidaria de mim. Sinto-me sozinha. Luciana está longe, Alex na clínica, e Nelsinho pensa só em si mesmo. Penso, Zuleica, que terei dias difíceis. Meu esposo nunca iria me deixar passar necessidade.

– É só a senhora ficar esperta. Receberá uma grande herança: guarde para si e não dê a ninguém, a nenhum dos filhos, deixe que recebam a parte da senhora somente quando morrer. Posso lhe fazer uma pergunta? – Zuleica não esperou pela confirmação e fez: – Já a escutei várias vezes falar que nunca traiu o senhor Nelson. Por que afirma tanto isso?

– Se o tivesse traído, ele me mataria. Ele falava isso, e eu acreditava.

– Traindo-o, estaria dando-lhe o troco, ele a traiu tantas vezes... Seu esposo era um machão! Traía, mas, se fosse traído, matava! Boa noite! Se precisar de mim, é só chamar.

As duas saíram da sala e foram para seus quartos. Nelson, indignado, gritou raivoso:

– *Você amou outra pessoa! Amou! Fui enganado! Sempre pensei que você, Eliete, não tivera namorado antes de mim. Agora descubro que teve dois! O André e o empregadinho da marcenaria. Safada! Traidora!*

Foi ao quarto atrás dela e tentou agredi-la, esbofeteá-la. Porém, nada aconteceu. Percebendo que ela ia fechar a porta, saiu rápido e voltou à sala. Esmurrou a parede e chorou, sentindo-se impotente. Seu desejo era dar uma surra na esposa. Cansou e decidiu:

– *Vou me deitar aqui, o sofá é mais confortável do que a poltrona do meu quarto. Não devo chorar, ela não*

UM NOVO RECOMEÇO

merece minhas lágrimas. André tinha razão. O que ele me contou é verdade. Vou escutá-lo e acatar seus conselhos.

Exausto, dormiu no sofá da sala.

CAPÍTULO
SETE

Mais decepções

Nelson acordou e foi para a cozinha. Eliete e Zuleica estavam almoçando.

"*Dormi muito*", pensou. "*Não acordei cedo como de costume. Será que mudamos de hábitos quando estamos mortos?*"

Acomodou-se perto da empregada amiga, estava aborrecido com a esposa.

– Dona Eliete – disse Zuleica –, a senhora não esqueceu que vou sair, não é? Vou visitar minha família. À tarde, com certeza, irei ver somente alguns deles, a maioria trabalha. Volto às dezessete horas. À noite iremos visitar sua prima. Amanhã à noite vou visitar meus irmãos.

– Não esqueci, vá e divirta-se. Nelsinho ficou de vir aqui às quatorze horas. Vamos falar do inventário. Penso que é muito cedo para fazer isso, mas ele não acha assim. Diga a Mariângela para não ficar por perto. O assunto é delicado.

– Seu filho mais velho aprendeu a lidar com os negócios com o pai. Ele é esperto! – comentou Zuleica.

– Talvez seja esperto demais!

– A senhora não é boba. Fique atenta. Mas, infelizmente, só resta Nelsinho para cuidar de tudo. Se quer minha opinião, concorde com ele, mas exija uma boa retirada, muito mais do que costuma gastar. Assim terá dinheiro para viajar. Luciana não precisa do dinheiro da senhora e Alex... não sei, receio que ele gaste tudo o que receber de herança em pouco tempo.

– Você está me aconselhando a fazer o que Nelsinho quer? – perguntou Eliete.

– Sim, estou. Temo que a senhora fique sem nada se começar a dar tudo para Alex. Por isso eu lhe peço: não o tire da clínica. Gosto dos três, ajudei-a a criá-los, conheço-os bem. Sei que Nelsinho é ambicioso, mas é trabalhador, enquanto Alex é irresponsável. Se conseguir se curar de seu vício, mudará seu temperamento? Penso que não, continuará preguiçoso e irresponsável. Então, entre seus dois filhos, fique do lado daquele que trabalhará para a senhora. Entendeu?

– Vou prestar atenção no que Nelsinho está fazendo – decidiu a dona da casa.

Acabaram de almoçar e saíram da sala de jantar. Mariângela veio almoçar e Nelson saiu rápido de lá, determinado a não ficar mais perto dela. Ao ver a porta do banheiro aberta entrou. Eliete estava escovando os dentes. Ele se ajeitou e saiu da frente da esposa, temendo que ela fechasse a porta, deixando-o no banheiro. Foi à sala e ficou esperando pelo filho mais velho.

Nelsinho, como sempre, foi pontual. Eliete o recebeu na sala. O recém-desencarnado, querendo ouvir a conversa, ficou perto da esposa, que cumprimentou o filho e fechou a porta.

– Mamãe, estou tendo de trabalhar muito. Tenho ido todas as noites ao escritório e fiquei sábado e domingo acertando a contabilidade. Sinto falta do papai, ele tinha tino para os negócios, ainda bem que aprendi com ele. Vim aqui para lhe mostrar como estamos financeiramente e o que Alex fez realmente – Nelsinho abriu uma pasta. – Contei a você o que meu irmão fez e vou repetir mostrando todos os detalhes. No dia que papai faleceu, ele descobriu que Alex havia falsificado sua assinatura. Aqui está o fax.

Eliete pegou o papel, leu.

– Com isto – voltou Nelsinho a explicar –, meu irmão pegou uma quantia alta em dinheiro. Papai descobriu, pensei até que ele ia ter um acesso de raiva. Não me preocupei porque o vi tomar seu remédio. Providenciamos rapidamente o dinheiro para a filial pagar os funcionários. Fomos ao apartamento de Alex. Foi uma visita desagradável, o apartamento estava imundo. O porteiro nos afirmou e comprovamos que ele não fechava a porta e que seus amigos entravam e saíam quando queriam. Se você permitir, vou mandar limpá-lo, trocar a fechadura e dar ordem para não deixar os amigos dele irem mais lá. Naquela tarde, não conseguimos localizar Alex. Papai e eu saímos do escritório no horário de costume e ele veio para casa. Como você e Zuleica não estavam, ficou sozinho.

Como uma vizinha lhe contou e outras pessoas viram um carro da empresa aqui à noite, concluí que Alex esteve aqui e os dois discutiram.

Nelsinho fez uma pausa, Eliete olhava-o atenta, e o desencarnado também. Logo em seguida continuou a falar:

– Tenho pensado e não cheguei a nenhuma conclusão do que pode ter acontecido com os dois aqui naquela noite. Conhecendo-os, deve ter havido uma briga. Penso: será que papai caiu, meu irmão o levou para a cama e foi embora? Estaria morto quando Alex saiu? Como saber? Talvez nunca saibamos. O fato de, no hospital, Alex ter gritado com muita convicção que matara papai deixou dúvidas. Estou falando isto somente para você. Ninguém pode saber disso. Chega de escândalo!

– Infelizmente penso como você! – exclamou Eliete. – Quando minhas vizinhas, Flávia e Luíza, me contaram que viram um carro da empresa entrar às dezenove horas e trinta minutos na casa, concluí que somente poderia ter sido Alex. Seu pai devia estar furioso com o nosso caçula. Quero acreditar que seu irmão não o viu passar mal. O que deve ter ocorrido é que discutiram, Alex foi embora e meu marido, exaltado, sentiu-se mal sozinho e não teve como pedir ajuda. Mas agora não tem importância, é melhor não sabermos. Nelson morreu e não volta mais. Continue, Nelsinho, conte-me tudo sem esconder nada.

"*Como não volta?*", pensou o desencarnado presente. "*Nem fui! Não existe morreu e acabou!*"

– Não escondi, mamãe – continuou seu rebento a falar. – Somente não contei tudo. Você estava tão fragilizada com o falecimento do papai que preferi esperar. Hoje vim para lhe dizer tudo o que aconteceu no dia que meu pai faleceu. A quantia que Alex pegou é considerável. Aqui está uma cópia do documento que papai tirou de sua conta particular para amenizar o rombo e para a filial pagar seus funcionários.

Eliete pegou o papel, olhou e leu rápido. Nelson, que estava atento à conversa, olhou também e verificou que estava certo. O filho continuou a contar:

– Concluímos, papai e eu, que Alex somente poderia ter dado esse dinheiro que roubou para alguém, e este alguém deveria ser o Marcelo, por ter assumido a culpa em seu lugar no atropelamento. Foi uma quantia muito alta. Alex não tem noção do que representa essa quantia. Nunca trabalhou para ganhar e sempre teve de tudo. Além disso, mamãe, veja o rombo que Alex deu na empresa. Confira!

Eliete pegou o papel. Abriu a boca. Nelson também. A quantia era pelo menos o triplo da que ele sabia. Ou seu caçula roubara demais ou seu primogênito aumentara.

– É um absurdo! – exclamou a dona da casa sentindo-se sufocada.

– Concordo que é um absurdo, mas é a realidade! – afirmou Nelsinho.

– Será que não conseguiremos recuperar pelo menos parte desse dinheiro?

– Já pensei nisso. Papai e eu pensamos que Alex deu esse dinheiro ao Marcelo. Procurei saber e descobrimos que foi isso que ocorreu realmente. Discretamente, fui me informar: no mesmo dia que meu irmão pegou o dinheiro, Marcelo sumiu. Ninguém sabe exatamente o que lhe aconteceu, para cada pessoa de sua convivência disse que ia para uma cidade e todas elas, distantes. Com certeza só voltará quando tiver gastado tudo. Pensei em ir à casa de Vanda, mas não quis ir sem antes conversar com você. Quero sua opinião, vamos resolver juntos a atitude a tomar, embora acho que é perda de tempo. Duvido que Vanda saiba o paradeiro de seu filho. E se soubermos onde ele está, como fazê-lo devolver o dinheiro? Alex pagou ao primo em espécie. Como provar? Teríamos de recorrer à justiça e acusar meu mano de ladrão. Como agir sem evitar um escândalo?

– É melhor deixarmos como está! – opinou Eliete.

– Mamãe, tem mais, com esse desfalque estamos, ou a empresa está, em dificuldades financeiras. Vamos ter de fechar duas lojas. São aquelas que não têm prédios próprios. O que me aborrece, e sei que também aborreceria papai, é ter de despedir os empregados. Fechando essas lojas, teremos uma despesa altíssima com os encargos trabalhistas. Ainda bem que nenhum dos empregados dessas lojas é antigo, foram as últimas que abrimos. Com essa medida, tentarei equilibrar a empresa.

Eliete enxugou algumas lágrimas e Nelsinho continuou a falar:

– É por isso, mamãe, que não quero Alex na empresa. Não quero que, numa próxima façanha dele, percamos tudo. Papai tolerava-o, era filho dele, mas eu não tenho por que aturá-lo. Não quero sustentar meu irmão e, se fosse somente sustentá-lo... Ele é um perigo! Você sabe que papai me deu cotas, não sabe?

– Sei das participações que ele lhe dava, como o senhor Antônio deu a ele. Também me disse que lhe deu mais, mas não falou quanto nem perguntei.

– Foram trinta por cento.

– O quê?! Seu pai enlouqueceu?! – indagou Eliete admirada.

– Você está me ofendendo! Está duvidando? Aqui estão os documentos. Examine-os!

Nelson abriu a boca e olhou para o filho. Nelsinho tentou se acalmar e explicou à mãe:

– Confira! Papai me deu quinze por cento nessa data e, no dia em que morreu, mais quinze por cento. Meu pai era coerente, inteligente, sabia que eu tinha mais direito, era o único com competência para cuidar de tudo. Ele me deu, houve testemunhas, o pessoal do escritório. Está tudo legítimo, certo e registrado.

Nelson ficou atordoado. Seu filho mais velho também estava roubando. Ele dera realmente quinze por cento das ações da empresa, mas não trinta por cento. Lembrou que havia assinado o segundo documento porque o filho havia afirmado que um número de um dos documentos estava errado. Ele planejou o golpe, talvez guardasse o segundo documento até seu falecimento, e isso ocorreu horas depois.

Mãe e filho ficaram calados por uns instantes até Nelsinho perguntar:

– Você irá querer contestar na justiça o desejo de papai? Ou o que Alex fez?

– Na justiça não! – Eliete respondeu rápido. – Não quero escândalo! E, para evitarmos falatórios, é melhor perdermos o dinheiro que Alex pegou indevidamente. Não vamos procurar a família de Vanda, não quero saber deles. E se Nelson lhe deu, está dado.

– Mamãe, quero deixar claro que eu não pedi nada. Papai amava a empresa, dedicou a ela grande parte de sua

UM NOVO RECOMEÇO

vida. Penso que ele não queria ver tudo o que fez ir pelo ralo, acabar com a indiferença de Luciana ou com a irresponsabilidade de Alex. Com certeza pensou que a continuidade de tudo o que vovô e ele fizeram teria de ser dada por mim. Mas existe você. Pergunto: Quer ser a presidente do grupo? Quer trabalhar, dirigir a empresa?

– Eu?! – Eliete exclamou surpresa. – Não sei fazer isso! Não sou capaz! Não se ofenda, filho, assustei-me com as notícias. Somente você é capaz de conduzir tudo. Mas continue, o que está planejando fazer?

– Fechar as duas lojas e diminuir as despesas até nos reorganizarmos. Papai tinha a empresa e bens particulares. Quero... pensei em dividir de forma justa. Há dois anos, papai comprou uma área grande, um bom terreno na cidade em que fecharemos uma das lojas; tenho um interessado em comprá-lo. Concluindo o inventário, poderemos vendê-lo e acertar as finanças da empresa. Possuo trinta e seis por cento das ações. Restam sessenta e quatro por cento: a metade é sua, trinta e dois por cento; o restante será dividido por três, ficando dez e meio aproximadamente para cada um de nós. Terei quarenta e seis por cento, serei o sócio majoritário. A parte de Luciana, ela concordou, e prefere, receber em bens particulares de papai, ficará com os predinhos. É algo garantido, sem risco etc. Será como se eu tivesse comprado sua parte. O que Alex pegou indevidamente, ou seja, roubou, entra na divisão do que ele tem a receber. Ele sairá da empresa, não será sócio e ficará com duas casas, aquelas no condomínio de luxo e dois prédios em que estão duas lojas. Mesmo se ele não trabalhar, terá os aluguéis para viver, e muito bem, pelo resto da vida, isso se não torrar nas drogas. Você ficará com trinta e dois por cento das ações, com cinco apartamentos e com esta casa. Mas...

Fez uma pausa. Se Eliete estava assustada e indecisa, Nelson estava muito mais. *"Pensava que conhecia meus filhos, principalmente Nelsinho, que trabalhava comigo. Ele está roubando a mãe e os irmãos!"*

– Continue, Nelsinho – pediu a mãe.

– Queria, mamãe, fazer o inventário, deixando sua parte como usufruto para nós, seus herdeiros. Pode deixar os apartamentos para Alex, esta casa para Luciana e as cotas da empresa para mim. Não pense que receberei mais. Luciana foi esperta, quis, escolheu, a parte que não oferece risco. Se eu não trabalhar, não for esperto, a empresa falirá, ninguém receberá nada e ainda poderá haver dívidas. Se sou eu quem vai trabalhar, é justo que a empresa fique para mim. E prometo, mamãe, esforçar-me o máximo que puder para reerguê-la. Continuaremos todos ricos. Você terá seu variável, sua mesada, pagarei a despesa desta casa e, quando tudo estiver bem novamente, receberá mais e poderá viajar e passear.

– Sinto, com estas decisões, que prejudico os outros dois – falou Eliete.

– Aceito sugestões. Somente a alerto que não vou trabalhar para os meus irmãos. Não vou mesmo! Luciana compreendeu isso. Preste atenção, mamãe: se tiver de trabalhar para Alex gastar, sou eu quem sai da empresa. Fico com os imóveis e recomeço. Se sair da empresa, quero saber: quem comandará tudo?

– Por favor, meu filho, não leve aos extremos – pediu Eliete.

UM NOVO RECOMEÇO

– Como não? Você não entendeu ainda o desfalque que Alex nos deu? Será que não foi por isso que papai morreu? Prefiro começar algo menor do que ter Alex por sócio. Não acha justo que entre na partilha o dinheiro que seu caçula pegou? Houve um desfalque e, para nos reorganizarmos, teremos de fechar duas lojas, vender uma área grande e negociar com bancos. Isso não deve ser levado em conta? Penso que sim! E somente nos superaremos com muito trabalho, meu trabalho! Tenho de ir, daqui a meia hora tenho um encontro com um gerente de banco, vou renegociar uma dívida. Seria bom que fosse comigo.

– Não quero ir, não entendo nada.

– Pense, mamãe, no que conversamos. Telefone para Luciana, escute a opinião de sua filha. Tchau.

Beijou-a e saiu.

Com a saída do filho, Eliete chorou, Nelson também derramou muitas lágrimas. Mariângela lhe trouxe um chá e ele tomou junto. A dona da casa não sabia o que fazer e o recém-desencarnado também não, e pensou: "*O que será que Nelsinho está fazendo? Sua divisão é injusta. Será que o desfalque de Alex foi mesmo o que meu filho apresentou? Pelas atitudes dele, mentiu à mãe. Dei-lhe quinze por cento, mas foi somente isto. Ele me fez assinar duas vezes. Aproveitou que estava nervoso, preocupado e aborrecido para assinar outra vez sem rasgar ou invalidar o primeiro documento. Confiei nele*".

A dona da casa chorou muito, até ficar com o rosto inchado, e aí decidiu:

– Vou telefonar para Luciana.

Telefonou. Nelson ficou pertinho dela para escutar a filha. Sentia muitas saudades de Luciana. Escutou as duas. E surpreendeu-se ao ouvir a filha:

– Mamãe, me responda: por que sofrer tanto assim por papai? Cá entre nós, ele tinha um gênio terrível, era mandão, autoritário, indelicado e a traía sempre. Você não fazia nada sem sua permissão. Ele agia também assim conosco, embora muito mais com você. Gostava do papai, mas ele, para mim, não foi o genitor que desejava ter. Você sempre me ajudou para que pudesse fazer alguns passeios e ter alguns namorados. Penso ter me casado só para ficar livre de sua tirania. Ainda bem que meu casamento deu certo, meu esposo é o oposto do papai. Temos certeza, meu marido e eu, de que Nelsinho está correto. Eu não preciso dessa herança e estou contente com o que meu irmão me propôs. Mamãe, preste atenção, se seu primogênito não presidir tudo, haverá falência! Não acho justo ter participação da empresa para somente receber os lucros. E repito: se Nelsinho não cuidar de tudo, em pouco tempo nada restará. Alex roubou. É triste dizer isso, mas é a verdade. E esse dinheiro que seu caçula pegou deve constar na parte que ele tem a receber. Se não acha justo, dê você a Alex seus bens pessoais, como a casa que recebeu de herança de seus pais e as duas que papai comprou e lhe presenteou. Depois, mamãe, se Alex mudar, se melhorar, ele poderá trabalhar no que herdará. Se quer a minha opinião, concorde com Nelsinho. Deixe-o organizar novamente a empresa. Receba seu dinheiro todo mês e aproveite. Vá viajar, passear, comprar roupas novas. Estamos contando com você aqui para me ajudar quando meu neném nascer. Minha sogra quer ir depois fazer um

UM NOVO RECOMEÇO

cruzeiro de quatro meses por vários países, já disse a ela que você irá junto. Não se preocupe tanto, mãezinha, aproveite a vida e deixe seu filho inteligente e competente trabalhar para você. Com ele no comando, tudo ficará bem, e a empresa continuará próspera. Mas se for o Alex a cuidar de tudo, certamente ficará pobre.

Mudaram de assunto, falaram sobre o tempo, a saúde, as netas e desligaram.

Se Eliete ficou mais calma e consolada, Nelson estava arrasado. Não esperava ouvir o que Luciana dissera. "*Será que nem bom pai fui? Não fui bom em nada?*", muito triste, indagou.

Zuleica chegou contando sobre suas visitas.

– Não consegui ver meus irmãos, eles estavam no trabalho. Falei para Mariângela ir embora. Vou verificar se a casa está fechada. Após o jantar, iremos visitar sua prima. Nelsinho veio? Conversaram?

Eliete não pensava em contar tudo a empregada amiga, mas foi falando. Desabafou:

– Veio, acertamos algumas coisas e outras fiquei de pensar. Telefonei para Luciana, eles estão bem. Ela aconselhou-me a concordar com Nelsinho. Meu filho mais velho não quer o irmão na empresa. Na divisão, penso que meu caçula ficará prejudicado. E, pior, que eu serei responsável por esta partilha. A minha parte será em usufruto, isto é, será deles quando eu morrer.

– Isso não é novidade – falou Zuleica –, quando a senhora morrer são seus filhos os herdeiros. Talvez Nelsinho e Luciana estejam pensando que a senhora poderá se casar de novo e eles não querem dividir nada com nenhum intruso ou que, com essa atitude, poderão afastar alguns interesseiros.

Zuleica riu e Eliete sorriu, achando graça.

– Casamento nunca mais! – exclamou a dona da casa.

– A senhora está numa situação complicada, não entende nada de negócios, sempre foi seu marido quem decidiu tudo. Privava-a das preocupações e agora não sabe fazer nada. Nelsinho tem razão de não querer trabalhar para sustentar a vagabundagem do irmão e de recear que ele venha a fazer alguma coisa errada e colocar em risco a fortuna da família. Será que não está na hora de a senhora pensar em si mesma? Está acostumada a ter de tudo. Gosta tanto de viajar e tem até companhia. Com certeza poderá viajar com aquelas duas amigas também viúvas e com a sogra de Luciana. Nelsinho ficará contente como dono de toda a empresa, pois herdará sua parte quando a senhora morrer. Dedicado e trabalhador como ele é, a empresa somente crescerá.

– E Alex?

– Não quero ser chata – respondeu Zuleica. – Gosto também de Alex. Mas lembro-a de que ele quase a matou. Se não fosse eu a acudi-la, talvez fosse o senhor Nelson o viúvo, e agora os três seriam órfãos e seu caçula não estaria numa clínica e sim na prisão.

– Graças a Deus ele não me matou! Assassinada pelo próprio filho! Que escândalo! Que horror!

– Vou dar minha opinião – falou a empregada amiga. – Penso que Nelsinho deve ficar com a maior parte. É justo que a quantia roubada por Alex entre na parte dele na divisão. Ele ainda receberá muito, ficará rico. Depois a senhora poderá dar para ele parte de sua retirada do pró--labore, assim como doar os bens que tem em seu nome. Se seu primogênito não administrar a empresa, é falência na certa. Vamos rezar para Alexander se livrar de seu vício, ter juízo e não gastar tudo que receber de herança.

"*Mas que empregada intrometida! Estou pasmo de saber que minha mulher é tão amiga e confidente dela*", pensou o ex-proprietário daquele lar.

– Receio que Alex, ao sair da clínica – falou Eliete –, venha me ofender, porque, com meu filho incapacitado no momento, serei eu a responsável por ele nessas transações.

– O que ele pode fazer além de tentar matá-la? Terá de ter cautela, não ficar com ele sozinha e tentar fazê-lo entender que está recebendo as reações dos seus atos imprudentes. Já a aconselhei a ficar do lado de quem lhe dá segurança e garantia. Faça isto que tudo dará certo.

Zuleica saiu e Eliete ficou triste e aborrecida. Novamente Nelson ouviu seus pensamentos:

"Nelsinho e Luciana sempre foram amigos, as brigas que tinham na infância e na adolescência eram sempre por culpa de Alex. Enquanto os dois mais velhos eram estudiosos, responsáveis, o meu caçula era rebelde. Agora os dois se uniram contra Alex. Mas o que fazer? Nelson, você está me fazendo falta! Você tinha defeitos, mas aprendi, nesses anos em que estivemos juntos, a entendê-lo. Nosso filho mais velho não está sendo honesto, ficará com muito mais do que os outros. Luciana concorda com ele, escolheu para receber de herança a parte mais segura. Alex receberá bem menos. Mas por que nosso caçula foi dar tanto dinheiro ao Marcelo? E se eu não concordar com Nelsinho e ele fizer o que ameaçou, abandonar a empresa? Ficaremos arruinados. Não confio em Alex. Meu esposo, o que eu faço?"

– *Não sei!* – exclamou Nelson sentido.

– Nem eu! – Eliete falou alto.

Ela assustou-se com sua própria voz.

"Quando não sabe", ela continuou pensando, "como dizia meu marido, deixe que outro que saiba resolva para você. Não tenho alternativa. Vou concordar com Nelsinho. Se Alex se curar, libertar-se do vício, tornar-se responsável, venderei tudo o que estiver em meu nome e darei a ele. Também pedirei para Luciana dar alguma coisa ao irmão e vou exigir que o meu mais velho o ajude também".

Telefonou para seu primogênito e comunicou:

– Vou concordar com tudo o que me propôs. Mas quero que você continue a cuidar de nossos bens e me prometa: se Alex sair bem da clínica e quiser trabalhar na empresa, irá ajudá-lo.

– Trabalharei bastante e tomarei conta de tudo. Quanto à promessa, não sei, mamãe... Desejo muito que meu irmão se torne responsável. Se ele quiser trabalhar, como ele será dono dos prédios de duas lojas, darei para ele as lojas com todo o material existente nelas. E aí ele terá duas grandes lojas. Está bem assim?

– Sim – Eliete respondeu contente. – Com duas lojas grandes, se ele trabalhar, logo terá outras.

– Se ele trabalhar – concordou o filho. – Se Deus quiser, ele sairá da clínica modificado. Porém, mamãe, se ele não mudar, perderá tudo o que tem. A senhora poderá sustentá-lo e, na sua falta, não o deixo na miséria, mas terá de mim somente o necessário. Mais que isso, não posso prometer.

– Isto me tranquiliza. Beijos.

Desligaram. Sem entender, Nelson sentiu o filho pensar que quando Alex saísse da clínica iria contratar seguranças para ele e para a família. Pensou: "*Nelsinho sabe que* não está sendo correto. Alex é irresponsável e estava ultimamente sob o efeito de tóxicos. Agora, internado, está incomunicável, mas ele não é bobo, saberá que foi roubado, prejudicado e exigirá do seu irmão sua parte. Mas será tarde. Eliete é responsável por ele e assinará todos os documentos. Com certeza meu caçula não deixará isso ficar assim, vai se rebelar. Os dois irmãos serão inimigos. Zuleica tinha razão quando aconselhou a patroa a ficar do lado mais forte. Nenhum dos dois é confiável, porém ela pode deixar nosso primogênito administrar nossas finanças, pelo menos ele não a levará a ruína".

Ele chorou muito, estava sofrendo como nunca sofrera quando encarnado. Viu a esposa e Zuleica saírem. Ficou sentado no sofá da sala.

CAPÍTULO OITO

O convite

André veio como prometera.

– *Boa noite, André! Que bom que veio!* – Nelson cumprimentou-o aliviado por vê-lo.

– *Boa noite! Sinceramente surpreendo-me por ser tão bem recebido.*

Nelson ignorou a ironia do outro e convidou-o:

– *Sente-se aqui ao meu lado. Aconteceram tantas coisas... Estou muito aborrecido!*

– *É comum se aborrecer após a morte* – afirmou André.

– *Estou decepcionado!*

– *Se quiser desabafar, posso ouvi-lo.*

Nelson não se fez de rogado: com muita vontade de falar de seu descontentamento, desabafou:

UM NOVO RECOMEÇO

– Eliete saiu com a empregada. Elas são amigas! Confidentes! Nunca pensei que minha esposa contasse a ela assuntos íntimos e familiares. Estou chocado!

– Meu caro, se você pensar, com certeza entenderá sua mulher. Não a deixava sair, ela ia somente àquelas reuniões semanais. Implicava com os parentes dela e não gostava de recebê-los em sua casa. Eliete não podia receber amigas aqui e não ia à casa de nenhuma. Luciana mora longe e você reclamava da conta do telefone. Será que não percebeu que sua esposa sentia falta de conversar com alguém, de desabafar? Você ficava pouco em casa e não gostava de escutá-la. Restou Zuleica. E ainda bem que ela é boa pessoa, talvez mais confiável que muitas das mulheres que sua esposa conhece. Você não está conversando comigo? Será que não é porque, no momento, sou o único a ouvi-lo? É uma boa comparação, não concorda?

O recém-desencarnado pensou e concluiu:

– Penso que você tem razão. Mas não é somente isso que me aborrece. Estou decepcionado com meus filhos.

– Normalmente quando nos sentimos decepcionados é porque decepcionamos. Será este o seu caso?

– Como?

– Comparo – respondeu André – a decepção com um corte doloroso na nossa vida, nas nossas ilusões e fantasias. Quando queremos que as pessoas, ou apenas uma, sejam como nós idealizamos, desapontamo-nos ao descobrir não terem sido elas que nos enganaram: fomos nós mesmos que nos enganamos, nos iludimos. Pode ser que o outro tenha tido realmente a intenção de nos lograr, mas quase sempre somos nós que queremos tanto que ele seja como nós desejamos que, ao descobrir como ele é verdadeiramente, a *desilusão bate forte. No fim entendemos que tudo foi uma falsa interpretação nossa. O que descobriu que o deixou tão arrasado?*

– Como sabe que descobri? – Surpreendido Nelson indagou.

– *Nada como morrer para saber de muitas verdades, de muito logros. Os filhos fizeram coisas que não sabia?*

Nelson contou sobre o roubo de Alex e da esperteza do primogênito.

– *Meu caro* – disse André –, *se você analisar todos os acontecimentos, não tem por que se sentir desiludido. O seu garoto mais velho aprendeu muito com você. Será que você não foi o exemplo?*

– *Exemplo?!* – Nelson exclamou admirado. – *Fui filho único, não logrei ninguém. Quando mamãe morreu, meu pai estava velho e eu decidi que o melhor era ficar com a administração de tudo e deixá-lo descansar.*

– *Não pensou que seu pai pudesse se casar novamente e gastar muito dinheiro?*

– *Claro que tive receio disso. Houve até uma secretária, a Lourdes, que foi amante dele por muitos anos. Tive de separá-los. Passei tudo para meu nome e a mulher se mandou, pediu demissão e se mudou de cidade. Papai ficou triste, mas compreendeu que era melhor para ele ficar sozinho. Mas nunca deixei lhe faltar nada. Fui bom filho!*

– *Ele lhe afirmou isso? Que você foi um bom filho?* – perguntou André.

– *Falar? Não! Mas eu fui!*

– *Nem sempre o que você acha é o que o outro pensa ou quer. Será que você não interferiu muito na vida do seu genitor? Talvez ele fosse feliz com essa secretária.*

Ela também deve ter se desiludido com o fato de o senhor Antônio não ter tomado uma atitude, ter dado tudo para você e ficado sem nenhum apartamento para morar. Com certeza essa mulher não iria querer residir aqui com vocês. Mas deixemos o passado remoto e voltemos ao passado recente. Se Nelsinho viu o que você fez com o avô, pensou que o melhor era imitá-lo. Se for sincero e se colocar no lugar de cada filho seu, verá que eles têm razões, e estas podem ser certas ou não, mas são as razões deles. Luciana! Quando você prestou atenção na sua filha? Conversava com ela para saber o que sua menina queria ou pensava?

– Sempre quis o melhor para minha filha – justificou o recém-desencarnado.

– O melhor na sua opinião. Como não fez isso encarnado, agora escutou a opinião dela sobre você. Alex: qualquer pai presente teria percebido que o filho estava diferente, envolvido em drogas. Pelos tóxicos se cometem normalmente atos errados, indevidos, para ter dinheiro para o vício. Agora se coloque no lugar de cada um.

Nelson pensou por uns instantes e respondeu:

– Não consigo me colocar no lugar de Luciana. Percebo agora que estamos distantes. Não conheço realmente minha filha, não sei de seus problemas ou dificuldades. De Alexander também não. Sempre fui ativo, gostava de trabalhar, resolver problemas, ficar sem fazer nada é para mim um castigo. De Nelsinho, eu consigo me colocar no lugar, e, com sinceridade, faria o que ele está fazendo, isto com irmãos, se eu os tivesse, mas não conseguiria fazer com meus filhos. Gosto dos três. Também está sendo difícil me colocar no lugar de Eliete. Tive-a como uma propriedade, pensava, e ainda infelizmente penso, que ela até

me devia um favor por amá-la, por ser minha esposa. Sinceramente, eu não aceitaria um marido como fui. Mas pensei que todos estavam bem. Se eu estava, todos tinham de estar.

– Acredita que seu filho mais velho esteja de fato roubando os outros? – perguntou André.

– Já havíamos decidido fechar essas duas lojas. Estávamos esperando o fim do semestre e o término do contrato dos aluguéis, inclusive o de uma delas venceria este mês. Somente ele e eu sabíamos, não queríamos que a notícia se espalhasse. Íamos fechá-las por estarem dando prejuízo. Mas tínhamos planos de abrir outras duas em outras cidades e, para isso, planejávamos fazer uma boa pesquisa. Estas lojas não deram certo por terem, nessas cidades, lojas do mesmo ramo cujos proprietários eram muito conhecidos e confiáveis. Se meu filho mentiu à mãe sobre isso, deve ter mentido sobre os outros assuntos. Penso que Alex roubou somente a quantia que eu sabia.

– Pelo menos com a administração de seu filho mais velho, Eliete não ficará pobre! – exclamou André.

– Mas ele está ficando com uma parte bem maior que a dos outros, com quase tudo! Se Luciana concorda, tudo bem, embora pense que ela desconheça o total de nosso patrimônio. Mas ele não deveria fazer isso com o irmão. Que decepção! Uma desilusão dolorosa! Estou sofrendo!

– Por favor, não se sinta o coitadinho! De coitado você não tem nada! Está recebendo os reflexos de seus atos. Eliete...

– André! – interrompeu Nelson. – Prefiro que você evite falar dela. Eliete é minha esposa!

– *Raras vezes você se lembrou disso! Traía-a e ai dela se tivesse a ousadia de lhe chamar a atenção, corria o risco de levar uma surra. Como daquela vez da Celina...*

– *Como sabe disso? Faz tantos anos... Você devia estar vivendo no corpo físico.*

– *Sei porque a escutei pensar. Mas não se inquiete com este assunto. Você também teve atos bons, e sua esposa se recorda com carinho de seus mimos. Eu não queria vê-la sofrer como daquela vez...*

– *Por favor, pare! Você é de fato, no momento, a pessoa que está me ajudando, e sou grato por isso. Mas está abusando falando assim de minha mulher.*

– *Sua propriedade!* – exclamou André. – *Sabe que não gostava de você por não tê-la feito feliz.*

– *Mas ela também não foi infeliz! Sempre teve tudo o que quis.*

– *Comprava* – replicou André – *muitas roupas e não tinha como exibi-las. Você não gostava de sair e...*

– *Você sabe muito de nossa vida! Outra decepção!*

– *Já disse* – falou André com voz firme – *e volto a afirmar que Eliete foi algo puro para mim. Um amor adolescente. Um sentimento que me faz bem. Não precisa sentir ciúmes.*

– *Realmente não preciso sentir ciúmes. De que adianta? Estamos nós dois desencarnados. Esforço-me para não sentir raiva ao pensar que Eliete casou-se comigo porque eu era rico.*

– *Ela o amou e amaria bem mais se você tivesse sido mais companheiro e dedicado.*

Calaram-se por alguns instantes. Nelson observou André. Sua aparência era a de um jovem entre dezesseis e dezoito anos. Tinha cabelos finos e louros, olhos castanho-claros, lábios finos, era magro e alto.

E André também observou o ex-morador da casa, que era alto, forte, ombros largos, cabelos fartos e grisalhos, lábios grossos, olhos castanho-escuros e, pela idade, linhas marcadas no rosto. Pensou que, quando moço, o marido de Eliete devia ter sido bonito, porque ainda o era.

Nelson resolveu mudar de assunto e perguntou:

– *Você disse que é comum se decepcionar quando se morre ou, como fala, desencarna. Você também se decepcionou?*

– Não – respondeu André. – *Talvez seja porque fui eu quem tenha decepcionado as pessoas. Ou porque sabia muito bem quem eu era, não me iludi em relação a mim. Mas me surpreendi. Tive uma boa surpresa. Meu filho sentiu minha desencarnação. Sentiu minha falta, teve saudades, recorda-se com carinho de nossas conversas...*

– *Você chegou a pensar que seu filho não ia sentir sua morte?* – Nelson quis saber.

– *Por pensar assim é que foi uma surpresa boa! Você melhorou? Está se sentindo melhor?*

– *Não! Sinto-me o último dos homens, tremendamente decepcionado.*

– *Esta noite* – falou André –, *aproximadamente daqui a uns cinquenta minutos, terá num auditório, num lugar chamado umbral, que é um dos lugares que desencarnados podem ficar, morar, a Noite dos Decepcionados, da Decepção ou da Grande Mágoa. Convido-o. Quer ir?*

– *Explique, por favor, o que vem a ser isso.*

– *Há muitas moradas nesta Terra, no nosso planeta. Se existem muitas formas de viver encarnado, existem também para os desencarnados. Esse auditório, ou o grande salão, está no espaço da espiritualidade onde temporariamente estão os desencarnados rebeldes, sofredores e alguns maldosos.*

– Você quer me levar num local onde residem os espíritos maus? – indagou indignado o ex-dono da casa.

– Para lá também podem ir os imprudentes como você e eu. Mas não irá residir lá, vamos visitar somente o salão, uma reunião aberta a todos. O local é conhecido como Auditório Bonachão; é um espaço grande, onde todos se reúnem para expor um determinado assunto e, de quinze em quinze dias, a decepção é o tema. Quando reclamamos muito da vida, é bom escutarmos outros que se decepcionaram mais do que nós. Se quiser, posso levá-lo. Não estava com intenção de ir lá, mas posso acompanhá-lo. Porém quero que me prometa que ficará calado.

– Por quê? Explique, por favor.

– Gosto de escutar "por favor", é uma palavra mágica, como são também as expressões "desculpe" e "obrigado". Escutar isto de você me é agradável. Encarnado, você não me olhava, não me cumprimentava. Ainda bem que mudamos. A necessidade muitas vezes nos obriga a isso. Vou lhe explicar como é essa reunião. Lá entra e vai quem quer. Pode-se falar, dar depoimento, queixar-se e pedir ajuda para se vingar. Pode-se ir e sair numa boa. Mas quem pede auxílio paga caro. Onde o egoísmo reina não se recebe nada de graça. E o vingador paga um preço alto. É por esse motivo que o aconselho a não falar. Escutar os depoimentos lhe fará bem. Verá que muitos têm motivos para se chatear com a morte.

– Mas eu não quero me vingar de ninguém!

– *Ainda bem!* – exclamou André. – *Preste atenção! Quem organiza essas reuniões são desencarnados maus, moradores do umbral. Não pense que verá capetas, seres deformados com chifres, de aparência assustadora, estes podem até ser vistos, mas os organizadores da reunião desta noite e nesse local têm aparência normal. São seres inteligentes e muitos até acreditam estar fazendo favores incitando os outros à desforra, ao castigo etc. Levo-o e trago-o após o término.*

– *Como vou?*

– *Volitaremos até a entrada, depois iremos caminhando. Sei que não sabe volitar, mas posso fazer isto com você. Quer experimentar?*

– *Será que consigo?*

– *Pegue na minha mão. Vamos para perto da piscina.*

Logo que deu a mão para André, os dois volitaram. Nelson sentiu-se suspenso no chão, atravessou a parede, e os dois pararam na área interna da casa.

– *Nossa! Surpreendente! Esta é mais uma prova de que de fato morri!*

– *E aí, vamos à reunião? Devemos nos ausentar por duas horas e trinta minutos a três horas.*

– *Sim, vamos, entendi: não devo falar nem emitir opinião. Assistimos e voltamos.*

– *Vamos combinar: quando me vir fazendo este sinal com a mão* – André ergueu a mão esquerda rumo ao peito e levantou o indicador e o polegar –, *você se cala e fala somente comigo e baixinho. Na reunião, se vaiarem, você vaia, mesmo se não concordar; se aplaudirem, aplauda também. Faça como a maioria e tudo dará certo. Verá coisas surpreendentes esta noite.*"

– *Seria pedir muito para você me levar à parte de frente da casa? Queria ver o guarda. Receei ir à garagem e não conseguir entrar na casa novamente.*

– *Vamos!*

Novamente André pegou na mão dele e rapidamente estavam na garagem da casa, onde um rapaz vestido com um uniforme de uma firma de vigilância estava sentado escutando o rádio. Os dois desencarnados observaram o guarda.

– *Ele está pensando em Mariângela* – comentou André – *embora seja casado e tenha filhos, deseja uma aventura. Parece ser honesto. Creio que você pode ficar despreocupado, ele deve fazer direito seu trabalho.*

– *Eliete tem recebido telefonemas abusivos, isso me preocupa.*

– *Devem ser trotes de quem não tem o que fazer. Sua esposa com certeza irá ignorá-los. Porém não devemos esquecer que Eliete é bonita e rica. Com certeza pretendentes aparecerão.*

– *Nelsinho não deixará que isso aconteça!*

– *Não deve se preocupar* – aconselhou André – *com coisas que nem são cogitadas. Quem está telefonando se cansará. Vamos atravessar o portão.*

Nelson sentiu uma sensação estranha ao passar pelas grades. Na calçada, olhou a casa, a moradia de tantos anos. Sentiu uma dor no peito, dor da perda. Nada era mais dele. Nisso, viu um cachorro olhando para onde estavam, o cão latiu e rosnou.

– *Ele parece estar nos vendo* – comentou Nelson.

– *Animais têm mais sensibilidade, alguns conseguem perceber, sentir, a presença de desencarnados, embora não entendam o porquê de sermos diferentes dos que vestem o corpo carnal. Vamos nos erguer do chão.*

Deram as mãos e ficaram a uns três metros do solo. Aproximou-se do portão um desencarnado com vestes em farrapos e tocou o cão.

– *Saia daqui! Vá latir em outro lugar!*

– *Conheço esse homem!* – Nelson admirou-se. – *Ele é o senhor Joãozinho, um mendigo que morava nesta rua logo abaixo, era um mendigo que Eliete ajudava. Ele morreu há uns três anos. O que ele faz aqui?*

– *Pelo jeito deve estar vagando* – respondeu André. – *Anda por aí como se estivesse encarnado. Muitas pessoas são retiradas de seu corpo físico porque este parou de funcionar, ou seja, morreu, e continuam como eram, se iludem a ponto de pensar que nada ou pouca coisa mudou."*

O guarda foi até o portão verificar o porquê de o cachorro estar latindo. O senhor Joãozinho continuou seu caminho, o cão atravessou a rua. Não vendo nada de anormal, o guarda entrou.

– *Vamos, não quero me atrasar* – convidou André.

Volitaram. O recém-desencarnado sentiu um frio na barriga, mas ficou atento. Elevaram-se mais e ficaram bem acima do telhado da casa.

– *Poderia fazer isto rápido ou muito rápido, mas estou indo devagar para você ver como é* – explicou André.

Foram para o norte da cidade, viram a periferia e depois não conseguiram ver mais nada por estar escuro.

– *Agora vou mais rápido. Logo chegaremos. Por favor, siga minhas orientações. Mesmo se ficar com vontade de falar de suas decepções, não o faça: pense primeiro e volte outra vez.*

– Vou seguir suas recomendações.

Nelson sentiu-se no chão novamente. Chegaram. Seus pés bateram na terra. O local estava muito pouco iluminado, mas deu para ver algumas vegetações rasteiras e pedras escuras de vários tamanhos. Um filete de água barrenta contornava uma pedra maior de uns dois metros de altura e seguia para o sul, sumindo na escuridão. Nelson teve a impressão de estar num campo de terras improdutivas. O lugar era desprovido de beleza. Não gostou do que viu, mas não comentou.

– Agora vamos andando. É por aqui – informou André.

Andaram alguns metros e viram desencarnados entrando entre as pedras, parecia ser uma gruta; na frente, fechando o vão, cortinas escuras com bordados dourados. Vários desencarnados chegavam conversando, poucos sozinhos, a maioria em grupo. Um espírito observava atento os que entravam, cumprimentava e recebia cumprimentos.

– Boa noite, Gervásio!

– Boa noite! Sejam bem-vindos!

– Hoje é a reunião dos desesperados?

– Esta noite é dos decepcionados – respondeu o guardião. *– Mas não faz diferença. A dos desesperados é depois de amanhã. Você está convidado para assistir a esta e à outra também. E a desta noite será ótima como sempre.*

– Agradeço!

– Boa noite! – André e Nelson falaram juntos.

André empurrou o companheiro e os dois entraram. Ao passarem pelas cortinas, Nelson, admirado, viu um longo corredor. O caminho era de terra com algumas pedrinhas. Estava iluminado com uma luz fraca que incidia somente no estranho corredor. Via-se pouco dos lados. E ele somente pôde ver algumas vegetações rasteiras contornando a passagem.

– *Podemos falar agora, mas baixinho* – disse André.

– *Estes desencarnados parecem mesmo normais! Estamos dentro de alguma caverna ou gruta?*

– *Não estamos dentro de nenhuma gruta, passamos pelas pedras. Claro que todos aparentam ser normais! Você mudou? Todos têm aparência comum, normalmente a de como eram quando encarnados. Para ser diferente, é necessário saber se modificar ou ser modificado por aqueles que sabem. Vamos devagar, temos tempo, faremos o caminho em vinte minutos, a reunião começará somente às vinte e uma horas.*

– *Só se chega a esse salão por este caminho?*

– *Pode-se também chegar volitando até o salão* – respondeu André. – *Mas quem usa esse processo é examinado por guardiões. E isto não é interessante para a maioria. Se fizéssemos isso, seríamos interrogados e, se aprovados, cadastrados. Aí poderíamos usar esse caminho mais fácil. E muitos dos frequentadores não querem ser interrogados. É de bom-senso ficar como a maior parte, ou seja, como a maioria. Deve ter algum motivo para os convidados fazerem este caminho a pé. Penso que seja somente para dar mais importância ao evento.*[6]

---

6 N. A. E.: Realmente, é por esse motivo e também porque todos os que passam por esse corredor são vigiados por câmeras. Os organizadores destas reuniões tentam, assim, impedir espíritos bons de irem lá. Porém, não conseguem. A finalidade de os bons irem lá é somente conhecer para aprender. Esta reunião específica é somente para desencarnados. Muitas outras acontecem mais tarde, às vezes de madrugada, nas quais encarnados são convidados e incentivados a agirem com maldade, revidar ofensas e até se vingarem. Para estas são normalmente mais restritos os convites, os salões são menores, e muitas conversas, particulares. Infelizmente, muitos aceitam estes convites, deixando o corpo físico adormecido. Com certeza, esta imprudência trará aos incautos a consequência de sofrimento.

"*Não deveria ter vindo, aceitado esse convite*", pensou Nelson.

– *Não pense nisso nem fale* – aconselhou André. – *Veio e pronto! Verá e ouvirá muitos decepcionados. A morte pode decepcionar os iludidos. Preste atenção nas pessoas, ouça suas conversas, assim se distrairá.*

Nelson concordou com a cabeça. Foi e teria de ficar por não saber nem como voltar. Andou pertinho de André e resolveu ficar atento a ele. Tinha por companheiro uma pessoa que pouco conhecia e que fora apaixonado por sua esposa, mas que lhe parecia confiável e era com quem podia contar naquele momento. Resolveu seguir suas recomendações.

CAPÍTULO
NOVE

A reunião

Duas mulheres conversavam à frente deles. Com um sinal, André pediu ao seu acompanhante para prestar atenção na conversa.

— *Gosto destas reuniões, consolo-me ouvindo desgraças maiores que a minha* — falou uma das mulheres.

— *É difícil uma maior do que a sua* — comentou a outra. — *Você não quer mesmo se vingar?*

— *Não tenho coragem. Tenho vindo regularmente às reuniões dos desesperados e dos decepcionados, fui a uma somente dos vingadores. Como me vingar? Minha filha foi boa para mim. Cuidou com zelo de mim e não tenho queixa do meu marido.*

UM NOVO RECOMEÇO

– *Mas os dois serem amantes é demais!* – exclamou a companheira da queixosa. – *Você, quando encarnada, não desconfiou mesmo de nada?*

– *Não, isto nunca me passou pela cabeça. Quem nos conhecia e os familiares nos parabenizavam pela maravilhosa filha que tínhamos. Meus outros dois filhos gostam e respeitam a irmã e se sentem aliviados por ela ter cuidado de mim e agora do pai. Minha filha, quando adolescente, namorou bastante, foi casada por dois anos e se separou, o motivo foi ela não conseguir engravidar. Voltou a morar conosco e sempre foi um amor e carinhosa. Abençoava-a sempre, elogiava-a e agradecia a Deus por tê-la me dado de presente. Desencarnei e fui levada para um posto de socorro. Senti muita saudade, falta de tudo, da casa, do marido, dos filhos e dos netos. Imprudentemente voltei para o meu lar. E aí...*

– *A maior decepção de sua vida! Saber como de fato as pessoas pensam ou agem normalmente nos decepciona. Mas continue contando...*

A senhora suspirou sentida, enxugou umas lágrimas. Nelson, atento às duas senhoras, continuou ouvindo-as.

– *Percebi logo que os dois, pai e filha, julgando-se sozinhos, pois moravam somente os dois na casa, tinham uma atitude estranha. Carícias de um casal... E à noite os vi na cama. Eram amantes havia muitos anos. Mas como me vingar? Como posso me esquecer da boa filha que ela foi? Do marido que tanto amei? Não, minha amiga, não vou me vingar. Creio que os dois se inquietam com a traição, com a situação em que vivem. Uma noite escutei de minha filha: "Ainda bem que mamãe nunca descobriu. Não suportaria vê-la sofrer, amava-a tanto!". Disseram-me aqui, um dos jurados num atendimento particular, que talvez os dois tenham se amado com paixão em várias encarnações. Justifica? Não! Mas como entender? Não quero pedir ajuda aos espíritos bons, penso que eles não me aceitariam com mágoa no coração. Quando lembro dos dois se beijando...*

Ela sentiu ânsia e se virou para o lado. Nelson, instintivamente, quis ajudá-la, mas André o segurou. A senhora que a acompanhava foi ajudá-la e os dois escutaram-na vomitando.

– *Como desencarnado pode vomitar?* – curioso Nelson quis saber.

– *Quando ainda não nos livramos dos reflexos do corpo físico, sentimo-nos como encarnados. Se essa senhora pensar que está vomitando, este fato ocorrerá. Isto é mais uma expressão de nojo. Talvez esteja somente sentindo ânsia. Continue andando, por favor. Você escutará muitos outros fatos parecidos, prepare-se e lembre-se de minha recomendação: não interfira, não fale ou expresse sua opinião.*

Chegaram à frente de um salão, uma construção enorme. Do lado de fora viram o interior iluminado com lâmpadas coloridas. Na porta estavam cinco desencarnados, três homens e duas mulheres, organizando a entrada. Os dois entraram no salão. Nelson admirado quis parar para observar tudo, mas André não deixou, empurrou-o para que andasse e ambos se dirigiram para a fileira do meio das poltronas, havia três, e se sentaram. As cadeiras eram estofadas de cores escuras e confortáveis. O visitante, tentando ser discreto, observou o local. O teto era alto, arredondado, com muitas gravuras, que também apareciam na paredes. Pinturas de cores brilhantes, fortes, com rostos deformados e com cenas representando castigos e os castigadores com expressões de triunfo. Na frente, um palco grande com cortinas vermelhas. Muitos dos presentes conversavam, alguns em tom alto e se fazia muito barulho. Rapidamente o salão lotou. A porta foi fechada. Cinco desencarnados entraram no palco, sentaram-se em poltronas ricamente douradas do lado esquerdo. À frente deles havia uma mesa estreita.

A plateia vibrou com aplausos, gritos e assobios, e aumentou a algazarra quando entrou o apresentador.

– *São os jurados* – explicou André. – *Aquele que entrou por último é o dirigente da reunião. Normalmente é um outro, este o substitui algumas vezes.*

A conversa continuava agora com menos intensidade. Escutaram o barulho de um gongo e os convidados sentaram-se. Ouvia-se pouca conversa. Um minuto depois, soou o segundo gongo, todos se acomodaram e se calaram. Foi então que Nelson observou os desencarnados do salão. A maioria lhe pareceu pessoas normais, mas as vestes eram heterogêneas demais. Ali estavam homens e mulheres de diversas idades, nenhuma criança e poucos jovens. Viu e assustou-se com um grupo: deveriam ser uns vinte, de aspecto estranho, feios, com ornamentos primitivos, uns com chifres, outros com orelhas grandes, em outros ainda eram os olhos que se diferenciavam, por serem avermelhados e grandes; pareciam estar fantasiados. Segundos após, soou o terceiro sinal e o dirigente, com voz forte que ecoou por todo o salão, cumprimentou:

– *Boa noite!*

Todos responderam e, em seguida, o apresentador falou:

– Com certeza, nossa reunião será proveitosa! Temos hoje alguns inscritos e, se der tempo, poderemos ouvir outros. Lembro-os: se alguém quiser falar no nosso próximo encontro, deve se inscrever no fim da reunião. Muitos de vocês já me conhecem, mas, para os que aqui vieram pela primeira vez, sou o Sargento, substituo o nosso glorioso, talentoso e insubstituível Celão. Nossos jurados são... – Falou o nome de cada um que levantava para receber aplausos.[7]

O dirigente deu alguns recados e depois disse:

– Decepcionados, não deixem por isso mesmo! Não se limitem somente a sofrer sem dar o troco. Façam os atrevidos que os desiludiram aprender a lição, que deve ser por meio de um severo castigo. Nós aqui viemos para ensiná-los. Deixamos nosso conforto para nos dedicar aos desiludidos e oferecemos soluções. Somos o máximo! Os grandiosos!

A plateia, com palmas e assobios, repetiu:

– Grandiosos! Máximos!

Soou o gongo e fez-se, de imediato, silêncio.

– Agora – anunciou o apresentador –, *o primeiro decepcionado.*

Um homem aparentando uns setenta anos abriu a cortina atrás do palco e entrou. Cumprimentou o público e, com a ordem para falar, contou:

– Estava com a vida estável, casado, quando um sobrinho meu me apresentou uma moça; achei-a linda e parecia

---

7 N. A. E.: Troquei o nome do apresentador, que é famoso nesse pedaço do umbral, espírito que exerce grande fascínio. E não escrevo os nomes dos jurados porque são nomes comuns. Nomes não têm importância, nós os trocamos sempre quando reencarnamos. Normalmente, usamos na erraticidade o nome usado no período em que estivemos encarnados antes. No umbral, os apelidos são muito usados.

ser a mulher que sempre quis ter. Ela dizia gostar de homens mais velhos e experientes.

A plateia riu, o dirigente e os jurados também. Quando se calaram, o homem continuou a falar:

– Separei-me de minha esposa, deixei meus três filhos indignados e dei muito dinheiro à minha nova mulher.

Novamente muitas risadas.

– Sofri um acidente de carro, fui hospitalizado, e ela cuidou de mim toda chorosa e preocupada. Este sobrinho que nos apresentou frequentava minha casa, ficou do meu lado quando o restante da família me criticava. Tive uma complicação e desencarnei. Passado o período em que estive perturbado, entendi que tinha vindo para o Além e, aí, a decepção. Meu sobrinho e minha mulher eram amantes havia muito tempo. Os dois planejaram o golpe e eu caí como um tolo. Os dois estão juntos gastando o dinheiro que me roubaram, que era para ser dos meus filhos. Odeio-os!

– Ele tem razão de estar decepcionado? – perguntou o apresentador para a plateia.

– Tem! Vingança! – o público respondeu.

Para voltar o silêncio, o gongo foi tocado e os jurados convidados a opinar. Nelson pensou estar assistindo a um desses programas de rádio ou televisão em que os jurados decidem e o público participa. A primeira jurada deu sua opinião; era uma mulher muito bonita, que tinha muitos fãs que gritavam seu nome, acompanhado por:

– Bela! Atrevida!

– Este homem foi ingênuo – falou a jurada. – Isto acontece quando tem uma esperta querendo levar vantagem. Mas aqui estamos para resolver o seu problema, não o *dela. Apesar disso, esta mulher é digna de admiração. Fique com sua desilusão e vá procurar o que fazer!*

A plateia se dividiu: uns concordaram com a jurada, outros não. O gongo foi tocado e outro jurado convidado a falar. Novamente os fãs aplaudiram gritando seu nome.

— *Inteligente!*

— *Você* — opinou o jurado — *não foi esperto o bastante e, como homem, entendo que foi tapeado por uma vadia. Mas e este sobrinho? Tenho aqui um fato novo* — aplausos e gritos. — *Sei que sou o máximo! Como jurado, estou atento: assim que este homem se inscreveu, como faço com todos os outros casos, fui conhecer os detalhes. O fato é que ele foi assassinado! Os dois espertos arrumaram um modo de ficarem livre do velho, digo, deste homem. O acidente com o carro foi planejado e não deu certo, pois ele não morreu e, no hospital, trataram de se livrar do empecilho.*

— *Quero me vingar! Vingança!* — gritou o homem.

Os outros jurados concordaram, e o dirigente determinou:

— *Você está inscrito no programa de vingança, conforme foi decidido.*

Aplausos, assobios. Nelson indignou-se por ouvir blasfêmias, palavras obscenas e xingamentos.

Os outros depoimentos aconteceram da mesma forma. O inscrito falando de si, a plateia se manifestando, a opinião dos jurados e a decisão final. Para não repetir as apresentações, vamos aos relatórios dos decepcionados, que, no momento, esqueceram de que, com certeza, também foram causa de decepção a outros.

Uma mulher aparentando trinta e cinco anos, estava desesperada, fora assassinada num assalto. Ela anteriormente

UM NOVO RECOMEÇO

tinha pedido para se vingar dos bandidos, mas isto lhe foi negado. Agora mudara o foco do pedido. O marido queria se casar com uma moça mal-intencionada que não seria boa para os filhos. Estava decepcionada com o marido, que a esquecera rápido demais. A primeira jurada, a Atrevida, elogiou a moça encarnada por estar sendo esperta. Foi vaiada e xingou a plateia; o apresentador e os jurados gargalharam. O jurado Inteligente incentivou a queixosa a interferir no romance. Seu pedido foi aprovado, iria receber ajuda: aprender para separar o casal.

Um outro afirmou que se embriagava porque gostava, fora um morador de rua, não fazia mal a ninguém, a não ser cometer pequenos roubos. Foi queimado vivo enquanto dormia. Os criminosos não foram punidos. Até a jurada que sempre dava o contra votou por um castigo exemplar para as três pessoas criminosas. Disse ela:

– *Detesto covardes! Se você se embriagava foi por sua escolha, roubava para ter dinheiro para seu vício, isto é compreensível. Você dormindo e eles o incendeiam? Voto pelo castigo!*

A plateia vibrou, e todos foram a favor.

Uma senhora se queixou:

– *Fui obsediada quando encarnada. Agora trocamos: eu estou aqui e ele, lá. Quero obsediá-lo!*

Nenhuma opinião contrária. Todos votaram pela desforra. Foi convidada a aprender a obsediar na Escola dos Vingadores.

– *Como hoje não temos mais inscritos, se alguém da plateia, que esteja decepcionado, quiser desabafar, pode subir aqui. Iremos escutá-lo* – disse o apresentador.

119

Um homem ainda jovem, aparentando trinta anos, subiu no palco e, com a ordem de contar sua decepção, o fez:

– *Tinha ido a um encontro com amigos, levei meu filho de seis anos comigo. Na volta, sofremos um acidente e ambos desencarnamos, meu filhinho e eu. Decepção? Tenho com a vida e com quem a rege. Leis injustas!* – blasfemou. A plateia reagiu, uns contra os outros a favor, e o gongo teve de ser tocado.

– *O que você deseja?* – perguntou o apresentador.

– *Vingar-me do causador do acidente. Daquela pessoa que colidiu comigo. Ele teve somente alguns machucados e continua encarnado.*

A primeira jurada falou:

– *Desta vez cedo a minha vez de falar ao meu colega Inteligente.*

E este não se fez de rogado.

– *A minha cara companheira Bela tem razão em querer me ouvir. Realmente sou o bom! Você, queixoso, tem razão de estar decepcionado, mas é com você mesmo! Irresponsável! Seu encontro com amigos foi num bar e levou seu filho. Bêbado, corria muito, entrou na contramão e foi você quem colidiu com o outro veículo, que tentou desviar. É improcedente seu pedido porque a pessoa de quem quer se vingar sentiu muito o acidente e os dois óbitos. Ele ora e é boa pessoa. Seu pedido deve ser negado.*

Todos votaram contra. O homem xingou, a plateia riu, ele desceu do palco e sentou-se novamente em seu lugar.

Uma senhora levantou-se e subiu ao palco.

– *Você já esteve aqui!* – expressou o apresentador com tom insatisfeito.

A mulher elogiou exageradamente a equipe e completou:

– *Estou decepcionada comigo mesma!*

– *Conte rápido sua história. Para quem já a ouviu lembrar e quem não a conhece se inteirar do assunto* – ordenou o apresentador.

– *Tinha um filho lindo, jovem, e, por causa de uma mulher, ele se suicidou. Odiei-a e ainda a odeio. Aprendi a me vingar* – mais elogios à equipe. – *Esta mulher casou-se, tem filhos e, por eles orarem, não consigo nem me aproximar dela.*

A primeira jurada aconselhou:

– *É melhor cuidar de sua vida! Está nos fazendo perder tempo. Já não lhe foi aconselhado esperar? Você é uma chata!*

O jurado número cinco opinou:

– *Para se vingar, muitas vezes se tem de esperar. Aguarde e, enquanto espera, aumente seu ódio. E, se quiser, frequente novamente as aulas da Escola dos Vingadores.*

Os outros jurados foram contra, e o apresentador determinou que aquela mulher não deveria depor mais e que se virasse para se vingar.

– *Afinal* – completou ele com ênfase –, *a vingança é para aqueles que são fortes e decididos.*

Outro desencarnado, um homem, subiu ao palco. Eloquente, elogiou a equipe e contou:

– *Sou uma pessoa talentosa. Confiei numa pessoa, e ela roubou meu trabalho. Fui homossexual e ele abusou do meu sentimento. Roubou-me e não tive como provar. Estava desesperado pelos dois motivos, por ter sido abandonado e roubado. Distraído, fui atropelado e desencarnei. Não culpo a pessoa que me atropelou, pois não teve culpa. Mas o ladrão, sim!*

As opiniões divergiram. A Atrevida elogiou a esperteza do ladrão, o abusador de sentimentos, e criticou a ingenuidade do queixoso. O Inteligente opinou:

– *Você não deve se preocupar por ele ter roubado sua obra. Como tudo passa, se ele não tem talento para continuar, irá se dar mal. Voto para uma chance. Ele deve aprender a obsediar.*

Os jurados discutiram, se ofenderam. Nelson pensou que iam se estapear. André lhe disse baixinho:

– *Em quase todas as reuniões eles divergem e às vezes se socam, isto diverte a plateia.*

Depois de alguns minutos de discussão, com o voto do público, houve empate e foi o apresentador quem desempatou a favor do pedinte.

Os depoimentos acabaram. Dois desencarnados, um homem e uma mulher, entraram no palco para contar piadas: isto, segundo o apresentador, para alegrar os desiludidos. As piadas depreciativas e obscenas levaram todos às gargalhadas. A reunião acabou com assobios, palmas e risadas. Todos se levantaram para sair. Nelson viu um homem que conhecera quando encarnado três fileiras atrás. Falou baixinho para André.

– *Conheço aquele homem. Não gostaria que ele me visse.*

André viu que o conhecido de seu acompanhante ia sair pela esquerda e colocou-o à frente para saírem pela direita.

– *Ele não irá ver você!*

Nelson pensou no homem que conhecia. Ele era ou fora um profissional respeitável, casado com uma mulher linda, aparentemente viviam bem. O casal era amigo de outro e saíam sempre juntos, iam a vários eventos sociais, viajavam, aparentavam realmente ter amizade. Coincidiu que ele ficou doente e a esposa do amigo também. Ambos estiveram hospitalizados. A enfermidade dele era gravíssima. O comentário na época foi que a esposa dele havia se tornado amante do amigo cuja mulher também estava doente. Ele desencarnou, e a esposa doente sarou e perdoou o marido, cortando a amizade com a viúva.

"*Traição doída! – pensou Nelson. – Entendo que esteja decepcionado. Não quero que ele, ao me vir aqui, pense que estou em situação parecida. Tomara que não queira se vingar, que tenha vindo para se consolar.*"

Uma briga na entrada ocasionou demora na saída. Os dois aguardaram de pé entre as fileiras das poltronas.

– *Temos de esperar, brigas são comuns por aqui, normalmente se resolvem logo* – informou André.

Dois homens discutiam. Nelson então prestou atenção na conversa de duas mulheres que estavam à sua frente.

– *Não adiantou nada eu dar meu depoimento. Julgaram improcedente meu desespero, minha decepção. Minha filha me assassinou, ninguém ficou sabendo, julgaram ser um assalto, mas foi por causa das drogas. Não queria nem quero castigá-la. Minha filhinha sofre muito e está cada vez pior. Queria castigo para os traficantes. Os jurados julgaram aqueles que traficam como trabalhadores necessitados de ganhar dinheiro e que não obrigam ninguém a usar os tóxicos. Os traficantes são amigos deles, por isso não quiseram me ajudar. Penso até que alguns jurados já traficaram. Como insisti, o Inteligente conversou comigo depois da reunião e aconselhou-me: "Esqueça estes traficantes, eles são fortes e poderosos nos dois* planos, no físico e no espiritual. Eles têm sempre muitos desencarnados ao lado deles. Enfrentá-los é guerra na certa. Não se preocupe, eles receberão as consequências de seus atos. Todos recebem". Inteligente suspirou e senti-o triste. Perguntei a ele: "O que faço então?". "Ajude sua filha", respondeu-me. "Como?", quis saber. "Não sei, descubra você!" E, desde então, tenho pensado nisto: ajudar minha filha. Estou achando que não é aqui que aprenderei como auxiliá-la. Isto é com o pessoal do outro lado. Com os bons!

– Cuidado com o que você fala – aconselhou a outra mulher. – Sofro pelo mesmo motivo: drogas. Meu neto, viciado em tóxicos, me estuprou. Sofri humilhação, vergonha, fiquei depressiva, com mágoa e ódio, e este estado me fez ficar doente, com a resistência imunológica baixa. Morava sozinha e passei a ficar trancada em casa. Meu filho, pai desse neto, não tinha mais o que fazer com ele. Uma tarde, meu neto conseguiu entrar no meu lar e me estuprou novamente, lutei com ele, caí, bati a cabeça e desencarnei. Ele foi preso e sofre bastante: foi e é estuprado; além de sentir falta das drogas. Quem são os culpados por esta desgraça? Os traficantes! Não preciso me vingar do meu neto, que sofre muito. Mas ainda sinto muita mágoa. E não adianta me queixar destes horríveis traficantes. Sinto, porém, que estas pessoas, que são as causadoras de tantas infelicidades, um dia pagarão, e bem caro. Embora entenda que somente usa droga quem quer, isto só é verdade no começo, porque, depois de viciado, torna-se escravo do vício. Venho aqui para me distrair, ouvir outras desgraças. Que decepção tive com meu neto!

UM NOVO RECOMEÇO

Depois da troca de socos e a manifestação da torcida de ambos os lados, os dois briguentos foram separados, desobstruíram a saída, e a plateia foi saindo, sem pressa e conversando.

CAPÍTULO
DEZ

Explicações de André

Aliviado, Nelson viu seu conhecido sair na frente. Não teria mais como se reencontrarem. Na porta, somente um guarda observava indiferente a saída da plateia. Logo que passaram pelo guarda, iriam seguir pelo longo e semiescuro caminho. Um desencarnado aproximou-se dos dois e perguntou:

– Este homem não é o senhor Nelson, o patrão de meu filho?

– Não é! Ele é meu pai! – respondeu André.

André pegou no braço do companheiro e ficou entre ele e o perguntante. O homem olhou-os bem, concluiu que se enganara e passou à frente. André fez sinal para ele não comentar nada. Aparelharam-se com dois homens e escutaram a conversa deles.

UM NOVO RECOMEÇO

– *Sou apaixonado pela jurada número quatro!*

– *Ela somente vota com a maioria. Prefiro a de número um, só dá palpites contras.*

– *Isso porque ela não o chamou de velho burro! No primeiro depoimento desta noite, pensei em mim. Fiz parecido, larguei a esposa honesta de tantos anos para ficar com uma jovem amante que me traiu, humilhou. Estava doente, acamado, e ela trazia amantes e dormia com eles no meu quarto. Decepcionado? Fui humilhado mesmo, chamado de "velho gagá", "caduco" e de muitos outros adjetivos depreciativos. Estou obsediando-a, ela está pagando caro as humilhações. Já me disseram que não tenho motivos para ter me decepcionado. Mas eu a amei!*

– *Todos nós temos razão para nos decepcionar!* – exclamou o outro desencarnado. – *A morte já é uma decepção! Sempre pensamos que ela é para os outros e, quando morremos, desencarnamos, é um baque. Encontrar uma mudança de plano tão diferente do que se pensava é outra desilusão. Aqui tudo parece tão natural que assusta. Não vemos Deus e ainda falam que O temos dentro de nós e somos Seus filhos! E o Criador não nos castiga nem nos dá prêmios. Somos, recebemos o que fizemos. Tenho pensado que, em vez de sentirmos remorso pelos nossos pecados, decepcionamo-nos com nós mesmos, não somos sinceros para admitir que erramos, então colocamos a culpa dos nossos fracassos em outras pessoas. Desculpe-me, mas você sofreu por sua causa mesmo: se não tivesse traído sua esposa, se tivesse se dedicado ao seu lar, quando doente, teria sido cuidado com carinho.*

– *A vida é complicada!* – continuou o que foi traído a se queixar.

– *É simples!*

– *Você pode ter razão, mas não vou desistir da vingança! Ela me seduziu e traiu!*

Um terceiro veio cumprimentá-los e informou:

– *Inscrevi-me para dar meu depoimento no próximo encontro. Somente não sei se vou no dia dos desesperados ou no dos decepcionados.*

– *Não sei ainda qual a diferença destas reuniões. Vocês sabem?* – perguntou um deles aos outros.

– *Decepção é desilusão das bravas! É você descobrir deste lado que aqueles com quem conviveu não eram tão fiéis como pensava, que era traído ou que lhe esconderam fatos importantes etc. Estar desesperado é mais grave, pois além de estar desiludido você se sente revoltado.*

– *Ainda penso que é tudo a mesma coisa.*

– *Para mim* – opinou o que pareceu a Nelson ser o mais coerente dos três que dialogavam pelo caminho –, *desiludido é o coitadinho necessitado de consolo tanto quanto o desesperado. Concluo que estes sentimentos vêm da mágoa. Minha avó usava a palavra "mágoa" para se referir aos machucados. Dizia "magoei meu braço, bati-o na porta" e explicava "quando nos machucamos, nos magoamos". Os ferimentos saram, e a mágoa passa. Ferimo-nos também intimamente, e as feridas também devem passar. Se não, estaremos sempre magoados, machucados. Não é assim que os decepcionados e os desesperados se sentem? Feridos e magoados? Talvez tenham reuniões diferentes para nós, os perdidos, os vagabundos, que vagamos sem rumo, termos aonde ir para nos distrairmos. Você irá mesmo se expor? Sente-se corajoso o suficiente para falar em público que fez papel de otário?*

UM NOVO RECOMEÇO

– *Minha raiva é maior que a vergonha. Meu ex-sócio precisa de uma lição! Minha mulher está desesperada, terá de arrumar emprego para sustentar nossos filhos. Meu ex--sócio ladrão a enganou, disse-lhe que a firma está falida, até falsificou documentos. Ela consultou advogados, mas não há o que fazer. E minha esposa ainda pensa que eu não lhe contei da má situação financeira para não preocupá-la. Como deixar um ladrão impune? Reconheço que fui ingênuo não prestando atenção no que meu sócio fazia. Deixei-o cuidando das finanças enquanto trabalhava na produção. Talvez a Atrevida ria de mim. Mas preciso ter ajuda para fazê-lo pagar. A justiça do plano físico não fará nada, não existem provas. Ele irá comprar a parte de minha mulher e filhos por um preço irrisório e com certeza se dará bem. Vou deixar eles organizarem a vingança, e esta será ferrenha...*

– *Você sabe que terá de pagar por isso, não sabe?* – perguntou o coerente. – *Ficará em dívida com eles, que costumam cobrar caro, e ai daquele que não paga.*

– *Isso é verdade! Estou me vingando daquela ingrata que me traiu. Não sou feliz, mas ela também não é! Tenho feito muitos trabalhos para eles e sou tratado como escravo.*

– *Você sabe como desfazer esse trato?* – indagou o coerente.

– *Não estou preocupado com isso no momento.*

– *Pois deveria e...*

André apressou-se. Não os escutaram mais. Chegaram à saída. Grupos conversavam e se despediam. Nelson seguiu atento o companheiro, que se afastou até o ponto onde pararam na vinda. Ambos deram as mãos e volitaram rápido. Pararam na área interior da casa, em frente à piscina.

– Sempre achei chique ter piscina em casa – comentou André. *– Estou percebendo que a maioria dos que as tem não as usa. Na minha próxima encarnação não quero ter piscina no meu lar. Você gostou da reunião?*

– Senti muito medo – respondeu Nelson com sinceridade. *– É algo extraordinário. Filme de terror! Mais assustador ainda!*

– Quer explicações?

– Sim, por favor. Comece me dizendo aonde fomos.

– O plano espiritual – respondeu André *– é imenso, e os lugares se diferem, como acontece no plano físico. Um encarnado mora numa favela; outro, numa mansão; outros estão presos; alguns enfermos, em hospitais; pode-se residir no campo, em cidades, em locais de temperaturas frias ou elevadas etc. Desencarnados também têm diferenças no seu modo de viver. Os espíritos bons se agrupam em cidades que são conhecidas como "colônias", têm núcleos em postos de socorro e estão em muitas partes trabalhando, auxiliando. Os que se denominam "maus" moram em partes específicas, são os umbrais, onde também existem muitas maneiras de se viver. E há muitos desencarnados que transitam entre os dois planos. O lugar onde fomos fica num pedaço do umbral considerado ameno. Muitos dos que você viu lá, o apresentador, os jurados, os organizadores, os guardas, são moradores da região umbralina.*

– Esta noite o apresentador era o substituto de quem?

– Normalmente – respondeu André *–, quem apresenta as reuniões é um espírito muito extrovertido, que tem muito carisma, é bom de papo, sabe convencer. O sujeito tem muitos fãs. Impossibilitado de ir, algum deles o substitui.*

UM NOVO RECOMEÇO

– Você já assistiu a alguma reunião de vingadores? O que vem a ser?

– Não assisti, o que sei foi de ouvir comentários. Esta reunião é chamada por muitos nomes, aqui neste pedaço do umbral é Escola de Vingadores. Os desencarnados lá têm aulas, aprendem a se vingar, castigar os desafetos. E realmente paga-se caro.

– Paga-se como? – o ex-proprietário da casa estava admirado.

– Você acha que um bando de egoístas faz algo a alguém sem receber o dobro, o triplo? Paga-se, mas não em dinheiro. Existem muitas outras maneiras de efetuar o pagamento. Uma delas é com o trabalho. Às vezes, anos de servidão. Nessa escola, eles aprendem a obsediar, ou seja, a prejudicar pessoas, ferir seus desafetos. E, em troca, têm muitas vezes de prejudicar também pessoas que nem conhecem. É um pagamento difícil e com juros altos, trabalho escravo, onde se é obrigado a maltratar desencarnados e encarnados. É muito triste!

– Para um desencarnado se vingar existe somente essa maneira? Ter auxílio desta escola? Não é abusivo se referir a este local como "escola"?

André sorriu e respondeu:

– Escola é onde se aprende algo. O nome deveria ser usado somente para os lugares onde se ensina coisas boas. Mas assim como existem muitas maneiras de se fazer o bem, existem muitas para prejudicar. Há infelizmente muitas formas de se vingar. Uma delas é cursar estas escolas, mas uma pequena parte somente a frequenta. A maioria dos obsessores, vingadores, age por conta própria e prejudica tanto ou mais quanto se tivesse aprendido.

Porque nestas escolas o frequentador tem de trabalhar para eles, ir a outros lugares etc. E aquele que não precisa servir aos umbralinos tem mais tempo para sua vítima.

– Já tinha ouvido falar em mortos prejudicarem os vivos, mas duvidava.

– Pois não duvide – alertou André. – *Morto um inimigo, ele se torna invisível e, se resolver se vingar, terá armas torturantes para sua desforra. Este processo se chama obsessão. O assunto é vasto. Posso definir para você que "obsessão" é uma ação persistente de um ser sobre o outro, de espírito para espírito, e não devemos esquecer que todos nós somos espíritos vivendo encarnados ou não. Esta perseguição resulta em dores e em muitos sofrimentos para ambos, obsessor e obsediado. Como você deve ter percebido, é praticada pelos que não conseguem perdoar.*

Fizeram uma pausa e Nelson pensou no que tinha visto e ouvido; depois comentou:

– Senti pena daquela senhora cujo marido é amante da filha. Que absurdo!

– Com certeza os dois, como a senhora contou, foram apaixonados em vidas passadas. Vieram nesta para aprender a se amar de forma verdadeira e pura, um amor fraternal, mas não conseguiram.

– É certo mesmo a reencarnação? Ouvi falar muito, o assunto é sempre comentado, mas não dei a devida atenção.

– Pois deveria ter dado – falou André. – *Penso que é muito difícil acreditar em Deus sem compreender a reencarnação. Por meio dela, temos sempre oportunidade de repararmos nossos erros, de nos reconciliar e aprender.*

UM NOVO RECOMEÇO

– E o senhor que foi assassinado com fogo? Um horror!

– Aqueles rapazes foram inconsequentes e com certeza pagarão caro por esse ato! Mas o queixoso deveria entender as causas.

– Causas? Como assim? Será que ele prejudicou aqueles rapazes? – Nelson perguntou admirado.

– Nesta existência com certeza não. Senão o jurado Inteligente teria comentado. Penso que aquele homem, ao desencarnar queimado, recebeu a reação de seus atos indevidos, cometidos no passado. Se compreendesse isto, entenderia que sua morte corporal não foi injustiça.

– E aí não precisaria se vingar. Mas por que isto não foi dito a ele nem o é para os outros?

– Não é do interesse do grupo – respondeu André. – Se ele tivesse procurado os espíritos bons, estes lhe explicariam e aconselhariam a perdoar, diriam que sofreu uma reação e o convidariam a estudar e trabalhar para evoluir. Mas ele me pareceu não gostar de estudar ou trabalhar e aí resolveu se vingar. Porém logo perceberá que terá de trabalhar. Como disse, obsediar é uma ação que requer persistência, é um trabalho a ser aprendido e, para saber, tem de se estudar. Depois o grupo o obrigará a trabalhar para eles e, para aqueles que não cumprem suas obrigações, o castigo costuma ser terrível.

– Estou pensando que quem se vinga deixa de ir em busca de algo bom para si para infelicitar o outro. Com certeza recusa coisas boas para sentir as más com o desafeto.

– Não tinha pensado nisso! – exclamou André. – Mas concordo com você. Belo raciocínio! É isso mesmo! Prefere ser infeliz se quem odeia for também. Rejeita a felicidade se isso fizer quem não gosta sofrer também.

– Sem a compreensão de outras vivências, muitos acontecimentos nos parecem injustos. Os jurados sabem disto? Acreditam na reencarnação?

– Claro que sim! Conhecimentos são adquiridos pelo estudo e pelo trabalho. Todos podem tê-los, maus e bons. O apresentador e os jurados não falam sobre isso porque o interesse deles é dar a impressão de serem eles os justiceiros, os defensores dos desvalidos.

– Estou lembrando daquele homem que teve seu trabalho roubado. Senti pena dele.

– Quando escutamos somente um dos envolvidos, sabemos cinquenta por cento do ocorrido. Existe a possibilidade de ele estar mentindo ou aumentando. Se escutássemos o outro, no caso o ladrão, conheceríamos seus motivos, que poderiam ser justificáveis ou não. Mas aquele homem deveria ter reagido a esse fato triste, se dedicado ao trabalho e feito algo melhor, então teria se recuperado e logo veria o ladrão não fazer mais nada por não ter talento. Não é bom nos penalizarmos com alguém a ponto de tomar partido sem raciocinar sobre como ocorreu o fato. Devemos, sim, ajudar alguém necessitado de um socorro urgente e analisarmos depois. Alerto-o que essas apresentações, as quais assistimos, levam-nos a sentir pena do queixoso e incentivá-lo a castigar. Aquele homem seria mesmo auxiliado se lhe fosse aconselhado reagir, compreender a situação. O perigo dessas reuniões é isto: tomar partido sem conhecer a história toda.

– Se analisarmos bem, podemos entender que tudo tem uma razão de ser, acontecer. Talvez o ladrão não esteja tão errado.

UM NOVO RECOMEÇO

– Não foi isso que eu quis dizer – rebateu André. – O ladrão se apropria de algo alheio e isso não está certo. Um dos mandamentos de Deus é: "não roubarás". E aquele que rouba, se não reparar seu ato indevido, poderá, em outra ocasião, ser roubado. Poderá também ser roubado para provar a si mesmo que perdoa, supera e aprende como é ruim ter objetos roubados; e não cometa mais este ato. Se você for roubado e ficar remoendo a falta dos objetos, não fará mais nada, mas se superar, construirá tudo novamente. Era o que deveria ter feito aquele queixoso. Penso que não foi somente isso que o magoou, foi também o fato de não ter sido amado. Aquele que não é amado deveria se conformar e partir para outro relacionamento. Sempre se encontra um "chinelo para um pé cansado", ou seja, encontramos sempre, isto se quisermos, outra pessoa para amarmos. Se todos amassem em vez de se apaixonarem, não veríamos tantos absurdos cometidos pela paixão.

– Será que terá justificativa para aquele que roubou o sócio desencarnado? Deixou pobres a mulher e os filhos! – quis saber Nelson.

– Este é realmente um caso grave. Pela ganância se cometem atos maldosos. Esse homem que roubou se comprometeu muito com as leis que nos regem. E todos que se desarmonizam terão de se harmonizar: se não for reparada sua ação imprudente com muito trabalho no bem, será pela dor. O sofrimento ensina, como também ensinará à família que foi roubada. Quanto ao homem que ouvimos, se ele perdoasse, procurasse os bons espíritos, poderia se dedicar, quando estivesse apto, a auxiliar sua família. Mas, em vez de ajudá-los, quer se dedicar à vingança.

– Conseguirá se vingar?

– Penso que sim – respondeu André. – Porque o outro errou, e quem erra sabe, mesmo que seja inconscientemente, que terá de sofrer a reação. Essa escola, a dos vingadores, ensina como atingir alguém, observam a pessoa, logo sabem seus pontos fracos e aí atacam. A obsessão é cerrada.

– Alguém pode se livrar dessa vingança?

– Sim, pode. Se aquele que é para ser atingido seguir uma religião, a vingança se complica para os vingadores, por não gostarem da vibração que a oração irradia. Se a pessoa pedir socorro a grupos religiosos pode anular a má influência. No caso desse sócio ladrão, se a esposa dele for uma boa pessoa, os obsessores não entrarão no seu lar, mas tentarão exercer seus poderes fora de sua casa.

– E se o sócio mau-caráter orar?

– Se ele orasse mesmo – falou André –, se fosse algo com sentimento e que sua oração fosse também demonstrada, completada com bons atos, ele não iria fazer o que fez. Não roubaria. Se ele rezar sem sentir, ainda assim essa energia pode ajudá-lo, mas não a ponto de afastar o obsessor. A oração de uma pessoa íntegra, bondosa, irradia mais porque tem a força do amor. Quem prejudica alguém, um dia sentirá remorso e irá querer remediar seu ato maldoso.

– Estou pensando se não é perda de tempo se vingar. Se nossas ações nos pertencem, elas nos darão respostas.

– Penso que seja isso mesmo – continuou André esclarecendo. – Jesus disse no Sermão da Montanha que os misericordiosos receberão misericórdia. Faça o bem e receberá o bem, se for misericordioso será tratado como tratou.

UM NOVO RECOMEÇO

Assim como quem também não fez o bem não receberá o bem, se fez o mal receberá o mal. Tenho prestado muita atenção para não fazer o mal. E estou concluindo que somente isso não basta. Tem de ser misericordioso!

– André, como se aprende a obsediar?

– Não sei exatamente, porque obsessão é uma marcação cerrada e como tudo o que se faz, pode dar certo ou não. Depende de o obsediado aceitar, e essa aceitação é por se sentir culpado. Para mim, obsediar é se castigar também. Ficar de marcação não deve ser fácil. Mas são escolhas...

– Você acha certo revidar? Aquela mulher que foi obsediada e quer desforra... – Nelson quis saber a opinião do amigo.

– Como o ódio e a paixão mal resolvida impulsionam a vingança, o revidar, o melhor seria a mulher cortar esse vínculo com seu desafeto e cuidar de sua vida. Sempre há motivos para desavenças, e ambos devem tê-los. É o "fiz isso porque você fez aquilo", e o outro conclui "como me fez aquilo, faço-lhe isso". E assim vai, até que um deles se cansa, queira se modificar e preste mais atenção em sua vida.

– O melhor mesmo é não fazer nenhuma maldade!

– Sábia conclusão! – exclamou André. *– Por isso optei por não fazer nada de ruim.*

– E se alguém pensa ter sido ofendido, recebido uma maldade e esta não procede, ele consegue se vingar?

– Se o outro não se sente culpado, é difícil conseguir. Depois, se não procede, o ofensor acabará por entender.

– A mãe do moço que se suicidou não consegue se vingar, será por que a moça não fez nada de mau?

– *Penso que sim. Ninguém tem ou deve ter motivos para se vingar. Normalmente todos os pais padecem muito com a desencarnação de seus filhos. Quando um filho se suicida, o melhor é ajudá-lo e não querer revidar as causas que julga terem havido. Aquela senhora deveria tentar auxiliar seu filho em vez de se vingar. Se ela não consegue se aproximar dessa encarnada nem de seu lar, com certeza é porque a moça não teve culpa e, mesmo se tivesse, não podemos nos esquecer de que podemos nos arrepender e nos voltar ao bem. E, se por algum motivo, essa encarnada não agiu corretamente com esse jovem, com certeza não pensou que ele agiria ao extremo a ponto de atentar contra a própria vida. Esta mãe deveria ter perdoado e, desencarnada, trabalhar fazendo o bem, aprender para auxiliar o filho.*

– *Entendi!* – exclamou Nelson. – *Seria bem melhor ajudar o filho do que maldizer a suposta causa do suicídio. Poderia acontecer isso comigo: em vez de tentar ajudar o Alex, querer me vingar de seus amigos ou dos traficantes. Não sei ajudar, mas também não quero prejudicar ninguém. Por mais que possa ter havido envolvimento de outras pessoas, Alex se drogou porque quis.*

– *Penso que pelo meu filho seria capaz até de trabalhar. Mas questionando-me com sinceridade bate a dúvida... Seria mesmo?*

Os dois suspiraram e ficaram calados por alguns segundos. Nelson voltou a comentar:

– *Eles me pareceram justos no caso daquele homem que pediu para se vingar do outro motorista no acidente que sofreu de carro e desencarnou.*

– *Até eles, os imprudentes do umbral, que são também nossos irmãos, criaturas de Deus, usam algumas vezes o*

UM NOVO RECOMEÇO

bom-senso. Recordo-o de que o jurado Inteligente afirmou que o outro motorista orava e era boa pessoa. Normalmente, nestes casos, no confronto com uma pessoa boa, a vingança se torna muito difícil, às vezes impossível.

– E se o encarnado tivesse culpa, poderia haver vingança?

– Primeiro, a suposta vítima necessitaria querer se vingar – respondeu André. *– Em quase todos os acidentes em que há desencarnação, os acidentados recebem auxílio dos trabalhadores do bem, que pode ser aceito ou não. Somente os que rejeitam o socorro oferecido pelos bons espíritos são os que pensam em revidar. Os mestres da Escola dos Vingadores sondam a pessoa a ser castigada: se ela orar e for boa, eles desestimulam, às vezes julgam improcedente a vingança porque sabem que será infrutífero seu trabalho. Mas, se o desencarnado vingador persistir, as orações do encarnado acabarão por ajudá-lo e, como sempre acontece, ou ele se afasta, desiste e abandona a vingança ou espera uma oportunidade para voltar a atacar. Uma pessoa que sofre um acidente pode se sentir desesperada por ter sido expulsa da vida física e, se o outro foi totalmente culpado, isso pode resultar numa obsessão.*

– Estou admirado!

– Porém, nas obsessões ferrenhas mesmo, os motivos são sempre marcantes. Temos boas histórias se ouvirmos obsessores e obsediados.

– E a criança, o filho dele desencarnado, onde está? – Nelson curioso quis saber.

– Teria de ser adivinho para lhe responder sua pergunta. Mas, como sempre acontece, crianças são socorridas pelos espíritos bondosos e levadas para locais próprios no plano espiritual, para um espaço somente delas, e são

muito bem cuidadas. Se ele, o pai, não a viu mais, é porque ela foi socorrida, e ele repeliu o socorro.

– O que você faria se isso acontecesse com você?

– Entenderia que a culpa foi minha e com certeza sentiria remorso – respondeu André.

– Como o jurado Inteligente soube da imprudência do queixoso se ele não tinha se inscrito?

– Espíritos com conhecimento e treino sabem somente de ver, principalmente em casos como o que estamos comentando, dessas reuniões, o que os outros pensam e como agem. Já me disseram que os jurados, ao verem um queixoso, sabem quem são e o que fizeram. Creio que o Inteligente consegue realmente fazer isto.[8]

– Penso que nunca vou me esquecer desta noite! – exclamou o ex-proprietário da casa.

– Agora é melhor entrarmos – aconselhou André.

Deram as mãos e foram para a sala.

– As duas já chegaram e estão dormindo – comentou Nelson.

– Posso dormir aqui? – pediu André. – *Sinto-me cansado. Deito neste sofá.*

Nelson sentiu-se aliviado, ainda estava com medo, e respondeu rapidamente:

– Será um prazer tê-lo comigo. Durma neste sofá que é maior, eu me acomodo neste aqui. Também estou cansado.

---

8   N. A. E.: André tem razão. Conhecimento é adquirido pelo esforço e pelo estudo. Esse fato é comum entre os espíritos bons, mas os imprudentes, que teimam em continuar errando, também sabem. Basta ver, observar alguém, para saberem quem é, como agiram ou agem. Isso acontece com espíritos dos dois planos: físico e espiritual. Somente não conseguem fazer isso se o outro conhecer também o processo e for mais forte mentalmente do que ele.

– *Tenho um compromisso amanhã cedo. Não se preocupe se acordar e não me ver. Meu filho terá amanhã uma entrevista de trabalho, quero acompanhá-lo.*

– *Você pode ajudá-lo? Conseguirá interceder por ele para que consiga esse emprego?*

– Não! – exclamou André. – *Todos nós temos livre-arbítrio. Podemos pedir, mas nem todos os encarnados recebem influência, conseguem sentir os pedidos de desencarnados. Quero estar com ele para tentar acalmá-lo, dar-lhe segurança. Gosto muito do meu filho. Boa noite!*

André acomodou-se num sofá e Nelson no outro.

– *O que acontece se Zuleica ou Eliete se sentarem no sofá com a gente deitado?* – perguntou Nelson.

– *Usamos dimensões diferentes. Se um encarnado sentar no sofá, não acontece nada conosco nem com eles.*

– *Obrigado, André. Boa noite!*

Cansados, logo adormeceram.

CAPÍTULO ONZE

A continuação da vida

Nelson acordou e não viu André. Concluiu que o amigo havia ido logo de manhãzinha encontrar-se com o filho. Pelo que ouviu, o almoço ia ser servido. Levantou-se, foi para a sala de jantar, ficou perto de Eliete para se sentir saciado e pensou: "*É humilhante me alimentar deste modo, sinto-me como um ladrão sugando as energias dos alimentos de minha esposa. Estou recebendo uma dolorosa lição. O que faço com o meu orgulho? Depois de morto, não sirvo para nada! Nunca pensei que iria saciar minha fome fazendo isto, implorando por comida. Como é a vida! Eu, que sempre tive tudo do bom e do melhor, agora tenho de ficar perto de alguém para me alimentar. Sinto-me alimentado por migalhas como as que se dão ao cachorro. Um balde de água gelada no orgulho!*".

UM NOVO RECOMEÇO

Eram dezesseis horas quando André veio ao seu encontro.

– *Boa tarde, André!* – cumprimentou o recém-desencarnado aliviado por vê-lo. – *Como foi a entrevista de seu filho?*

– *Boa tarde!* – O visitante sorriu contente. – *Alegro-me por vê-lo preocupado comigo. Também estava querendo vê-lo para lhe dar a notícia. Tudo deu certo! Acredito que meu filho poderá mudar de emprego, este é bem melhor. Acompanhei-o, eram dez pessoas para duas vagas. Fiquei com dó de um homem que disputava também o emprego, ele está há meses desempregado. Tentei ajudá-lo também, mas, infelizmente, a vaga não era para seu perfil. Amanhã este homem terá outra entrevista, irei com ele e tentarei de tudo para auxiliá-lo.*

– *Admiro você, André!* – exclamou o ex-proprietário da casa com sinceridade. – *Estou curioso para saber como foi sua vida no corpo físico.*

– *O que quer saber?*

– *Comece contando como foi sua desencarnação.*

– *Estava doente* – falou André –, *uma enfermidade causada pelas minhas imprudências. Acamado, fui internado num hospital. Fui piorando, falência dos órgãos... Em estado terminal, minha irmã orou para mim em voz alta uma oração muito bonita e desencarnei com ela na mente. Dizia mais ou menos assim: "Meu Deus, acredito em Vós e na Vossa bondade infinita. Por isso sei que não serei lançado ao nada. Meu corpo é apenas o envoltório perecível de minha alma, e, quando tiver cessado de viver, acordarei no mundo dos espíritos. Deus Todo-Poderoso, sinto os laços que unem minha alma a meu corpo romperem-se e logo vou viver de outro modo. Nada levarei dos bens da Terra. Honrarias, riquezas, satisfações da vaidade e do orgulho, enfim, tudo que se prende ao corpo físico vai ficar na Terra. Levarei comigo apenas o que pertence à alma, ou seja, as boas e más ações. Deus de misericórdia, que meu arrependimento chegue até Vós! Dignai-Vos a estender sobre mim o manto da Vossa indulgência. Perdoo aqueles que me fizeram ou quiseram me fazer o mal e rogo que me perdoem. Bons espíritos, não me deixe fracassar neste momento supremo. Fazei brilhar aos meus olhos a divina luz a fim de reanimar minha fé". Acalmei-me depois que ela orou. Logo vieram à minha mente muitos acontecimentos de minha vida e me senti adormecer. Meu espírito foi desligado do corpo físico morto.*

– *Que oração bonita!* – exclamou Nelson emocionado. – *Penso que você foi privilegiado por desencarnar ouvindo isso! Gostaria de orar essa prece!*

– *Vou tentar ganhar um livro para você. Esta oração está no livro* O Evangelho Segundo o Espiritismo, *de* Allan Kardec.[9]

– *É uma prece espírita?*

– *Sim, é* – respondeu André. – *Fui espírita quando encarnado. Não sei se posso afirmar isto. É muito forte*

---

9   N. A. E.: Essa prece maravilhosa da qual André recitou somente uma parte está realmente em O *Evangelho Segundo o Espiritismo*, no capítulo 28, "Coletânea de Preces Espíritas", item II "Preces Pessoais", n. 41 "Prevendo a aproximação da morte", "Na Previsão da Morte Próxima". Um desencarnado pode ganhar livros? Sim pode, além de muitos outros objetos plasmados por aqueles que sabem fazê-lo. A maioria dos postos de socorro dá aos desencarnados várias coisas, como também os centros espíritas que os encarnados frequentam: lá, os espíritos trabalhadores do bem dão, aos pedintes do Além, alimentos, vestes etc. e também livros sobre a Doutrina Espírita. O Evangelho de Kardec é sempre muito procurado. Por isso André disse que ia tentar ganhar um. Com certeza iria pedir em algum centro espírita um exemplar para doar ao amigo.

UM NOVO RECOMEÇO

dizer "fui", "sou". O melhor é dizer: conheci a doutrina espírita, mas não segui seus ensinamentos e orientações como deveria. Minha família, pais, irmãos, tinham conhecimentos espíritas, mas infelizmente ninguém seguia ou frequentava com assiduidade um centro espírita. Minha mãe gostava muito dos "Pretos Velhos" da Umbanda, mas dizia serem as almas dos escravos que tanto sofreram. Chamo-me André Luiz em homenagem a um escritor desencarnado que, pela psicografia, ditou ao médium Francisco Cândido Xavier muitos livros importantes. Um deles é A vida continua. E, de fato, somente morrendo é que entendemos a continuação da vida.

André fez uma pausa e, percebendo que seu ouvinte estava atento, interessado, voltou a falar:

– Reencarnei numa família que posso considerar comum, com acertos e erros. Fui um garoto que acompanhava meus irmãos nas brincadeiras, mas não gostava de estudar e dei um trabalhão aos meus pais que tudo fizeram para que eu fosse à escola. Desisti dos estudos no ginasial, como era chamado o ensino fundamental, os oitos anos básicos. Terminei quase adulto, de tanto repetir as séries. E nada de trabalhar: se arrumava emprego, logo saía, e as desculpas não eram justificáveis. O fato mesmo é que não gostava de trabalhar. Fui morar em outra cidade, arrumei um emprego razoável. Conheci uma garota, e ela engravidou. Tive muitas namoradas que foram pessoas boas, e esta que veio a ser minha esposa também era legal. Com certeza não era o genro que os pais dela queriam, mas tudo fizeram para nos ajudar. Meu filho nasceu forte, sadio, bonito. Mas... Por isso que, ao dizer para você ontem que faria tudo por ele, concluí que essa não era a verdade;

145

não fiz o básico, trabalhar para sustentá-lo. Meu casamento não deu certo, e a culpa foi minha. Minha esposa, cansada de me sustentar e por eu me embriagar, separou-se de mim. Mas nunca fiquei sem ver meu filho, conversávamos bastante, mesmo quando a mãe dele casou-se de novo e ele ganhou duas irmãs. Meus pais desencarnaram, fiquei doente e voltei para esta cidade, minha terra natal. Porém, tudo muda, o tempo passa para todos, meus amigos tinham suas vidas. Mesmo doente, tive namoradas que tentaram me ajudar, mas acabaram desistindo.

— E o que aconteceu com você quando morreu? — Curioso, Nelson quis saber.

— *Minha continuação de vida foi fantástica! Meu corpo parou suas funções, a morte clínica foi decretada, meu espírito foi desligado, e fui levado para um abrigo onde moram os desencarnados que fazem o bem. Recuperei-me, compreendi, aceitei a mudança de planos. Mas, para viver num local onde residem os que se esforçam para ser bons, necessita-se aprender e cooperar com o lugar trabalhando, servindo, sendo útil. Não me enturmei, pedi para sair; eles gentilmente tentaram me ajudar, mas, convencido de que o melhor era não atrapalhá-los, saí de lá e fiquei por aí, à toa e sem compromisso.*

— *Tudo isso somente porque não gosta de trabalhar? Por quê?*

— *Por que não gosto?* — André deu um sorriso tímido. — *Não sei, só sei que sou assim. Talvez seja porque não tenha me dedicado, não tenha encontrado algo de que gostasse mesmo de fazer. Mas não foi somente por isto. Falei que minha enfermidade foi causada por minha imprudência. Fui viciado em bebidas alcoólicas. Um bêbado inveterado. Não me lembro direito quando comecei a me embriagar. Penso que foi aos vinte anos, bebia com amigos: eles paravam e eu continuava até ficar embriagado. Continuei bebendo cada vez mais e, mais ainda, quando me separei. Sofri, fiz outras pessoas sofrerem e aí...*

André foi mudando sua aparência, deixando Nelson apavorado. Foi do jovem saudável para um adulto gordo, pálido, cabelos ralos, inchado e com expressão doentia.

– *André, por favor! Volte a ser sadio, jovem!* – pediu Nelson abraçando-o.

Em fração de segundos, André parecia às vezes jovem, às vezes velho. O ex-dono da casa esforçou-se para não se desesperar. Segurou as mãos do amigo e rogou ajuda a Deus. Isto durou cerca de cinquenta segundos. Depois, André respirou profundamente várias vezes e, para o alívio dos dois, voltou a ser jovem.

– *Já estou melhor. Obrigado!* – agradeceu André. – *Não se assuste.*

– *Desde que morri, é um susto atrás do outro. Se continuar assim, acabarei por me acostumar.*

– *Vou lhe explicar o porquê de estar com a aparência jovem. Viciei-me muito em bebidas alcoólicas. Quando desencarnei, com ajuda dos bons espíritos, consegui modificar minha aparência perispiritual, como chamamos este corpo que usamos agora, para eu ficar moço, sentir-me como antes de me viciar, assim não sinto falta da bebida. Conto minha vida como uma história. Hoje me empolguei e minha aparência oscilou.*

– *Isso é impressionante!*

– *Realmente é* – concordou André. – *Com medo de sentir falta da bebida e aí continuar me embriagando, vampirizando, isto é, sugando energias daqueles que bebem, remocei. Passei a me sentir sadio como era antes de me viciar; então, para meu alívio, não tive ou tenho vontade de beber.*

– Você não consegue vencer o vício?

– Para isso, teria de me esforçar, dedicar, lutar e vencer, porque senão serei escravo dos vícios que adquiri. Foi mais fácil para mim ficar assim. Receio sentir falta do álcool e tornar-me logo um farrapo.

"Isso é preguiça", pensou Nelson. "André está fugindo do problema em vez de enfrentá-lo."

– Também penso assim! – falou André ouvindo os pensamentos dele. *– Concordo com você. Como me é possível ficar assim, vou ficando. Fiz minha escolha. São muitos os desencarnados que modificam suas aparências perispirituais. Você não viu aqueles que pareciam fantasmas na reunião dos decepcionados? Encarnados, eles não tinham aquelas aparências. Os jurados se remoçaram, penso que a maioria era idosa quando veio para a Espiritualidade.*

– Como se remoça? – quis saber Nelson.

– Não sei, fui ajudado pelos bons espíritos, mas os maus sabem fazer isso também. Porém, o modificado precisa querer, cooperar com a vontade firme. E, ao ficar jovem, lembrei do meu amor de juventude e vim ver Eliete.

– Você não quer sair dessa ilusão?

– Quem não se ilude nesta vida? – falou André. *– Você não concorda que estou bem assim? Quem é que não quer ser jovem com a experiência de um adulto? Sei o que você deve estar pensando: cada idade tem seu encanto. Só que não quero ter a aparência de um bêbado e me sentir*

doente. Sei que terei de superar isso, mas, enquanto posso, vou adiando.

– E se o que lhe ocorreu agora acontecer novamente e você não conseguir ficar mais como quando era moço? O que irá fazer?

– Você faz perguntas demais e difíceis – reclamou André. *– Você se daria bem na escola dos bons, nas colônias. Os espíritos que me auxiliaram a ficar assim me disseram que eu necessitaria querer me sentir assim. Quero muito e penso que esse processo não tem data marcada para vencer. Aconselharam-me a me livrar do vício e conservar a aparência da idade com que desencarnei. Se vencer o vício, ficaria com cinquenta e seis anos, mas sadio.*

Os dois se calaram. André abaixou a cabeça e Nelson ficou sem saber o que fazer. Nisso, o ex-dono da casa viu um desencarnado pular o muro olhando tudo com curiosidade.

– André! Olhe ali!

Ele olhou e viu o desencarnado; levantou-se tranquilo e fez sinal com a mão para Nelson ficar somente observando.

– Olá! – André cumprimentou o intruso.

O homem levou um tremendo susto e ficou parado.

– O que faz aqui, companheiro? – perguntou André.

– Eu?!

– Sim, você. Por que entrou aqui? – André insistiu.

– Curiosidade – respondeu o intruso. *– Quando vivo, tinha vontade de ver esta casa por dentro. Agora morto consegui pular o muro. É interessante!*

– Pois dê somente uma olhadinha e saia, por favor.

O desencarnado olhou por todos os lados, foi até a piscina, deu a impressão de que esperava ver outra coisa e se desinteressou.

– *Pronto? Já viu?* – indagou André. – *Vou ajudá-lo a escalar o muro.*

Fez com as mãos um apoio e deu impulso para o desencarnado, que passou pelo muro, indo para o outro lado. Nelson olhava tudo assustado e André explicou:

– *Esse homem vaga por aí, com certeza falou a verdade, veio por curiosidade.*

– *Ele voltará? Se voltar e você não estiver aqui, o que eu faço?*

– *Tente sempre ser educado e pedir para que se retire. Deve usar o bom-senso e não enfrentar ninguém. E se for um grupo de espíritos, o melhor é se esconder.*

– *Com ladrões, encarnados, chamamos a polícia. E agora, o que fazemos com invasores?* – Nelson quis saber.

– *Quando intrusos desencarnados invadem um lugar, se quem estiver lá, no caso outro morador do Além, não puder com eles, o melhor é se retirar. No seu caso, saia da casa. Invasão não acontece num local de boas vibrações, porque desencarnados maus normalmente não conseguem entrar. Às vezes eles tentam e, se conseguirem, não ficam e não costumam voltar por não se sentirem bem. Ajuda? Dos bons espíritos.*

– *Senti medo!*

– *O medo* – falou André – *é do instinto de preservação. O melhor é se precaver, principalmente diante do que não se conhece.*

– *Os moradores do plano espiritual podem ir a lugares para conhecê-los, como esse que aqui veio? Ir a locais por curiosidade?*

– *Podem. Vi um grupo, eram sete, ir a um lugar, numa casa, para observar uma pessoa trabalhar. Não conseguiram*

UM NOVO RECOMEÇO

entrar porque os moradores desse lar são bons, oram e fazem o Evangelho no Lar, isto é, reúnem-se uma vez por semana para ler um texto do Evangelho e orar. Locais onde a vibração é boa incomodam os maus espíritos e aqueles que vagam. O grupo ficou de longe observando, perderam o interesse e foram embora. Também já fiz isso, fui a igrejas, museus, bibliotecas, shows, espetáculos etc. e somente por curiosidade, para conhecer. Essas excursões podem dar certo ou não. Desencarnados que vagam devem ter cuidado, porque uma das formas dos maus terem ajudantes é pegando estes imprudentes.

    – *Você não sente medo?* – curioso, Nelson quis saber.

    – *Sinto. Por isso me previno, sou cuidadoso.*

    – *E o que acontece com esses que são presos?*

    – *Podem ocorrer muitas coisas* – respondeu André. – *As possibilidades são muitas, mas, normalmente, os maus fazem desses prisioneiros escravos que são obrigados a servi-los.*

    – *E não há socorro para eles?*

    – *Claro que há! Não lhe falei que os bons espíritos trabalham muito? E um dos trabalhos deles é socorrer os infelizes que rogam por ajuda.*

    – *Estou sentindo medo da morte! Não seria mais simples ir para o céu ou para o inferno?*

    – *O inferno não é isto?!* – indagou André. – *Morrer e se sentir perdido e infeliz? Só que nada dura para sempre. Deus é misericordioso e permite que um filho ajude o outro.*

Pensativos, ficaram calados por uns segundos, até que Nelson comentou:

    – *Estou pensando que tudo o que está acontecendo comigo é um castigo. Orgulhoso que fui! Talvez seja ainda.*

Desculpe-me, André, mas, se estivéssemos encarnados e se você tivesse vindo à minha casa, não seria bem recebido, não passaria do portão e, se insistisse, eu chamaria a polícia. E de que me serviu o orgulho? Quando encarnado, impunha respeito; agora as pessoas poderiam sentir pena de mim. O que eu sou? Mais um desencarnado necessitado!

– Não fique assim arrasado – aconselhou André. – Aprenda com as lições da vida. Se era orgulhoso, pode vir a ser humilde. Penso que somente por ter reconhecido isto, já aprendeu alguma coisa.

Um relâmpago clareou o céu e logo se ouviu o estrondo do trovão.

– *Vai chover* – comentou Nelson. – *As nuvens estão escuras. Zuleica está fechando a casa.*

Mais relâmpagos e trovões, logo começou a chover. Os dois continuaram sentados no banco em frente à piscina. Nelson começou a se molhar e olhou para André, que, indiferente, olhava a tempestade e não se molhava.

– *Vamos nos abrigar!* – exclamou o ex-proprietário da casa.

Correu para a varanda e André veio atrás.

– *Eu me molhei, você não. Por quê?*

– *Se você pensa que ainda vive no corpo físico, sente seus reflexos. Aqueles que sabem que desencarnaram têm como aprender a não sentir mais as sensações do corpo de carne. A água não me molha porque sei que meu corpo perispiritual não tem por que molhar.*

– Como assim?

– Não sei, só sei que é assim – respondeu André. – *Somos, na erraticidade, diferentes, a matéria do nosso corpo aqui é diferente da física. É preciso estudar muito para*

UM NOVO RECOMEÇO

compreender os detalhes que ocorrem conosco com a mudança de plano. O básico é: tudo é matéria, mas em estados diferentes.

– Estou com frio!

– Enxugue-se! Pegue esta toalha.

André levou a mão até uma toalha que estava no varal, num canto da varanda. Assustado, Nelson continuou vendo a toalha no varal e outra na mão do amigo.

– Pegue-a e se enxugue! – ordenou André.

– Como você fez isso?

– Para não repetir "só sei que é assim", respondo: Não sei! Quis pegar, penso que criei uma cópia. Quis que você se enxugasse.

– Como pode fazer sem entender? – perguntou Nelson.

– Se posso usar, para que entender? Somos, você e eu, realmente diferentes. Você com certeza irá querer saber como tudo acontece.[10]

– Estou com frio! – queixou-se Nelson.

– Não sinto frio nem calor porque não quero. Penso forte que estou bem e fico. Vamos entrar!

Foram para a sala; Nelson, embora tivesse se enxugado, ainda estava molhado.

– Vou tentar secá-lo. Pense que quer estar seco – pediu André.

---

10 N. A. E.: Agora compreendemos o porquê de André, um desencarnado que vaga, ter entendimentos de tantas coisas do plano espiritual. Teve conhecimentos espíritas, pena que não vivenciou esses ensinamentos. Não é difícil aprender a fazer de forma automática, sem entender o porquê. Exemplo: encarnado anda, fala, pensa etc. Poucos sabem o mecanismo do corpo físico que o leva a pensar, a se alimentar, a falar etc. André plasmou, pela vontade, uma toalha da matéria que nós, desencarnados, usamos para a continuação da vida. Com certeza ele aprendeu com alguém ou no pouco tempo que ficou na colônia.

153

Porém, por mais que pensasse, a roupa dele secou somente um pouquinho.

– *Ainda estou com frio!*

– *Não sei mais como ajudá-lo.*[11]

Os dois se sentaram no sofá e ficaram por alguns minutos, porque, ao sentirem cheiro de comida, foram para a sala de jantar e ficaram perto de Eliete e Zuleica.

– *Posso ficar sem alimento* – comentou André. – *Sei que não preciso, porém não quis fazer o curso que ensina como tirar da natureza, do sol e do ar, a nutrição de que necessitamos. Gosto de sopa.*

"Como gostaria de aprender!", pensou o ex-dono da casa.

– *Para aprender, precisa estudar muito, treinar e ter controle de si mesmo* – respondeu André, que ouviu os pensamentos dele, e avisou: – *É melhor você prestar atenção na conversa delas.*

– Nelsinho ficou de vir aqui amanhã à tarde para conversar comigo – falou Eliete.

"Quero estar presente e ouvi-los", pensou Nelson.

As duas acabaram de jantar e foram ver televisão, os dois acompanharam-nas. A chuva continuava, mas agora mais amena.

– *Vou embora, amanhã eu volto. Tchau!*

---

11   N. A. E.: André realmente não conseguiu ajudá-lo. Na espiritualidade, se faz muitas coisas pela vontade, com a força do pensamento. Mas é preciso aprender. Desencarnados com compreensão das leis que regem o plano espiritual, sejam eles bons, maus ou que vagam como André, ao não sentirem mais os reflexos do corpo físico e aceitando viver como desencarnados, não têm fome, dor, frio, calor e não se molham na chuva. Vemos, em tempestades, muitos moradores do Além correrem para se abrigar porque se molham. Aqueles que realmente compreendem e estudam conseguem auxiliar outros e com certeza ajudariam Nelson a não sentir frio.

André volitou. Nelson sentiu frio, viu que Eliete e Zuleica estavam agasalhadas e assistiam ao programa caladas.

"*Com certeza*", pensou ele, "*esta noite não estão com vontade de conversar ou não têm assunto*".

Às vinte e duas horas, elas foram dormir. Ao ficar sozinho e no escuro, Nelson sentiu mais frio. E, conforme o tempo foi passando, sentiu-se gelado, um frio que doía. "*Agora sei como se sentem as pessoas que não têm agasalhos no inverno. O frio é doído! Eu, que tive tantos casacos, cobertores, sentindo frio! Será que consigo fazer o que André fez? Parece que foi fácil. Ele passou a mão na toalha e pegou uma igual para si. Quem sabe eu não consigo fazer isso com essa manta que cobre a poltrona?*"

Por mais que se esforçasse, não conseguiu. O exercício esquentou-o um pouco, então fez alguma ginástica, cansou-se e ainda continuou com frio. A noite demorou a passar e ele cochilou somente por alguns momentos, encolhido no sofá. Foi um alívio quando escutou Zuleica na cozinha. Aproximou-se dela e se sentiu aquecido com seu calor e com o café quente. Mas assustou-se ao escutá-la.

– Estou sentindo um frio estranho![12]

Sentindo-se melhor, Nelson continuou perto de Zuleica, mesmo com Mariângela na cozinha. Ainda bem que a

---

12 N. A. E.: Um desencarnado pode ser aquecido com o calor emanado de outro morador do Além ou de um encarnado. É como uma pessoa que se aquece ao ficar perto de outra. Zuleica teve uma sensação estranha porque Nelson e ela trocaram energias. Este fato não é comum, não ocorre com frequência. No plano físico, sente-se frio porque a temperatura está baixa. Desencarnados têm esta sensação de friagem por não terem se livrado dos reflexos do corpo carnal. Alerto que nem sempre arrepios, sensação estranha de frio acontecem porque existem desencarnados por perto. E os motivos de frio quase sempre são explicáveis, como uma janela aberta, uma queda de temperatura etc.

jovem empregada chegou entusiasmada com o guarda e não prestou atenção em mais nada. As duas foram trabalhar, e Nelson resolveu se aquecer ao sol, mas fora da casa estava ventando. Ficou então na varanda fechada de vidro onde batia sol. Aqueceu-se e dormiu.

CAPÍTULO
DOZE

Somente vendo os acontecimentos

Nelson acordou com frio, não estava mais batendo sol onde se sentara. Levantou-se rápido e entrou na casa. Já haviam almoçado, e ele sentiu fome. Procurou por Eliete, encontrou-a no banheiro se arrumando, entrou também, se ajeitou e foi com ela para a sala onde aguardaria o filho. "*Ainda bem que acordei! Quero ouvir o que Nelsinho tem a dizer a mãe!*"

Pontual como sempre, seu primogênito entrou na sala, fechou a porta, beijou a mãe e, depois das perguntas de praxe, ele falou:

– Mamãe, trouxe uns documentos para você assinar. Depois de amanhã, às treze horas e trinta minutos, virei buscá-la para irmos ao escritório dos advogados e ao cartório para resolvermos umas questões.

Fez uma ligeira pausa e voltou a falar:

– Ontem fiz o depósito no nome de Vanda, a suposta irmã do papai. Penso que é melhor não fazer mais. Duvido que o filho dela, o Marcelo, que recebeu uma elevada quantia do Alex, tenha dado algum dinheiro à mãe. Papai os ajudou bastante. O que você pensa disso? Devemos continuar ajudando-a ou não?

– Não quero ter contato com eles – respondeu Eliete. – Ainda mais agora que sei o que Alex fez. Talvez esse Marcelo não seja tão culpado. Mas será que esse moço não fez chantagem para conseguir essa quantia do meu caçula? Será que Marcelo não irá querer mais? E se ele nos procurar, o que iremos fazer?

– Mamãe, optamos por não denunciar esse rapaz; depois, foi meu irmão quem lhe deu o dinheiro. Mas, se Marcelo vier nos procurar, não lhe daremos nada, ele que faça o que quiser com esse segredo. E, se isso ocorrer, consultarei bons advogados e nos defenderemos. Marcelo não terá mais nem um centavo nosso! Mamãe, quando Alex sair da clínica ou quando for visitá-lo, não comente do roubo que ele fez, mas alerte-o de que este suposto primo pode vir a lhe pedir dinheiro. Faça-o prometer que não irá dar. Agora não existem mais motivos para chantagens. Marcelo mentiu para a polícia, e um bom advogado fará com que seja preso. Se nos chantagear, será chantageado!

– Não vou comentar do roubo com Alex – decidiu Eliete. – Quanto a mandar dinheiro para Vanda, o melhor é encerrar. Escreva a ela contando da morte de Nelson e que não iremos mais mandar a mesada.

– Vou fazer isso e pedir para nos esquecer, como se nunca tivesse sabido de nós.

UM NOVO RECOMEÇO

– É o melhor! Quando penso que Alex deu esse dinheiro para esse primo, sinto raiva! O senhor Antônio nunca deveria ter escrito aquela carta. Vamos esquecer este assunto e nunca mais comentá-lo. Meu marido era filho único e nunca teve irmã nenhuma!

– Este assunto está decidido! Mamãe, tenho estado preocupado com você nesta casa somente com Zuleica. Não está sentindo medo? Não tem ficado inquieta?

– Sinto-me realmente inquieta – respondeu a dona da casa. – Tenho acordado à noite e fico tentando ouvir algum barulho diferente.

– Mamãe, se a casa do vovô não fosse tão pequena, iria morar nela. Você não quer mesmo passar para lá? Eu me mudaria para esta e você não ficaria mais sozinha. Sei que não gosta daquela casa e que ela lembra a vovó...

– Não quero e não vou me mudar para lá! – determinou Eliete.

– Mamãe, e se trocássemos? Você iria para o meu apartamento e eu para cá?

Nelson percebeu que Eliete gostou da ideia: ela sorriu, seus olhos brilharam e perguntou:

– Virgínia está de acordo?

– Conversei com minha esposa antes. Virgínia queria que você ficasse na casa do vovô e deixasse esta para nós, para ficarmos perto. Mas ficará contente com a troca. Aqui meus filhos terão bastante espaço, tem a piscina, e eles poderão trazer os amiguinhos para brincar. Esta casa foi projetada para família com crianças e jovens. Ficaremos bem instalados aqui, assim como você ficará no apartamento, que está localizado na área central e tem tudo perto: restaurantes, cinemas, centro comercial, sem contar que no prédio moram duas de suas amigas.

– Será que dará certo?

– É você quem decide. Penso que sim. Você irá com Zuleica e, se precisar de mais alguém para ajudá-las, poderá contratar uma faxineira. O jardineiro e o piscineiro continuarão comigo e convidarei Mariângela para ficar. Você levará daqui os móveis que quiser, terá de escolher com o que ficará, pois todos não caberão no apartamento. E nós traremos os nossos móveis. Virgínia e você poderão cuidar desse detalhe, o que será levado e o que ficará. Pensei também, mamãe, que você poderia levar alguns móveis daqui e outros da casa do vovô para o apartamento de Alex e arrumá-lo novamente.

– Vou contar a novidade para Zuleica!

Eliete abriu a porta e chamou a empregada, que veio com a bandeja com chá e bolo.

– Vou trocar de casa com Nelsinho! – contou a dona da casa.

– Nossa! – exclamou Zuleica. – Que bom ver a senhora animada! Isto é ótimo! Mas e eu, como fico?

– Irá junto, é claro! – respondeu Nelsinho. – Estou muito preocupado com vocês duas aqui sozinhas. Propus a troca, mamãe aceitou, e todos ficaremos contentes. Meus filhos gostam muito daqui, e vocês ficarão bem instaladas, o prédio é seguro, tem porteiro vinte e quatro horas.

– Que delícia! – exclamou Zuleica. – Perto dos cinemas! Poderei ir sem precisar pegar ônibus.

– Vou dizer para a Virgínia que você, mamãe, concordou com a troca. Depois telefone para ela e combine os detalhes.

UM NOVO RECOMEÇO

Nelson, que sentia fome, ficou perto do filho na tentativa de se sentir alimentado, pois seu primogênito gostava de bolo com chá e saboreava-os com gosto.

– Zuleica, por favor, pegue mais açúcar para mim – pediu Nelsinho.

Ela foi buscar, e ele falou à mãe:

– Conversei com Luciana hoje de manhã e ela deseja convidar Zuleica para ir com você na casa dela, mas quer sua opinião primeiro, por isso a afastei da sala. O que você pensa do convite?

– Gostei da ideia, ela poderá nos ajudar e ainda passear, a coitada nunca viajou e me servirá de companhia, não gosto de viajar sozinha.

A empregada retornou, Nelsinho elogiou o bolo e indagou:

– Luciana está convidando-a para ir à casa dela com a mamãe. Quer ir?

– Eu?! – exclamou Zuleica. – Ir à casa de Luciana? Ir de avião? Meu sonho é viajar de avião! A senhora permite?

– Vou gostar de ter companhia – respondeu a dona da casa – estava preocupada de viajar sozinha.

– Eu vou! Vou sim!

Os três sorriram, alegraram-se, e Nelson concluiu: "*É preferível vê-los alegres do que tristes!*".

– Está decidido – afirmou Nelsinho –, minha secretária irá ajudá-la com os documentos necessários.

Nelsinho foi embora, e as duas ficaram conversando animadas sobre o que iam ou não levar.

– Vamos – decidiu Eliete – à casa do senhor Antônio dar uma olhada e depois iremos ao apartamento de Alex.

161

Nelsinho disse que mandou duas faxineiras da firma irem lá para limpá-lo. Vou mobiliá-lo novamente e quero que fique bem bonito. Quando ele sair da clínica, encontrará o apartamento em ordem.

Chamou por Mariângela e contou a ela que iria se mudar. As três se dirigiram para a casa menor. Nelson as acompanhou. Abriram-na, e a dona da propriedade assustou-se:

– Mas o que é isso? Onde está a televisão? Os quadros? Estão faltando muitos objetos!

Olharam para Mariângela, que tratou de explicar:

– Dona Eliete, foi Alex quem pegou. A senhora sabia, não é? Por quatro vezes ele veio aqui e carregou móveis e outras coisas. O jardineiro e eu o ajudamos a pôr no carro.

Mariângela saiu apressada e veio logo em seguida com o jardineiro.

– Fale para dona Eliete – pediu Mariângela ao jardineiro – que você ajudou o senhor Alexander a colocar objetos desta casa no carro dele.

– Fiz algo de errado? Não era para ajudá-lo? – indagou o jardineiro preocupado.

– Não! – respondeu Eliete. – Claro que não! Estou querendo saber o que meu filho levou, somente isso!

– O senhor Alexander levou por quatro vezes objetos desta casa. Não me disse por quê. Somente ajudei-o. Pegou a televisão, o liquidificador, a máquina de escrever e...

– Pode ir, obrigada! – interrompeu a dona da casa, que olhou para Mariângela e disse: – Com tantos problemas, esqueci que havia dado esses objetos para Alex.

– Dona Eliete – pediu Mariângela –, estou contente por vê-la animada com a mudança. Se a senhora for doar alguma coisa, queria que se lembrasse de mim. Também gostaria de ir com a senhora, mas entendo que, no apartamento, uma empregada dará conta do serviço. Fico com dona Virgínia, porém, se eu não gostar, saio.

– Mariângela – falou Eliete –, não me esquecerei de você. Vá agora fechar a minha casa, você irá conosco ao apartamento de Alex. Quero deixá-lo arrumado antes da mudança.

Ao ficar a sós com Zuleica, a proprietária desabafou:

– Alex roubou! Com certeza vendeu esses objetos para ter dinheiro para seu vício. Fiquei sabendo que ele bancava o vício de alguns amigos. Dava festas servindo drogas em bandejas... Que tristeza!

– Não se entristeça, por favor. Isso já passou! Alex irá sarar! Vamos continuar animadas. Não sabia que ele havia pegado esses objetos. É Mariângela quem limpa esta casa. Alex deve ter vindo aqui em horários em que sabia que não estávamos. Vamos ver o que sobrou; depois da visita ao apartamento de Alex, a senhora decidirá o que levar.

– Vamos abrir todas as gavetas. Irei guardar somente algumas fotos. Esses livros vou doar para a biblioteca da escola do bairro.

Foi abrindo as gavetas, separando papéis para serem queimados e objetos para serem doados. Mariângela fez uma fogueira perto da piscina e foi jogando devagar papéis e fotos que a patroa lhe dava para queimar. Depois, as três saíram. Nelson ficou triste e, ao ficar sozinho, na varanda, pensou: *"Tudo se modifica! Nada mais será como antigamente! E tudo se transforma. O que tinha importância não significa mais nada. E o que tem valor hoje com certeza não terá no futuro. Eliete ficou contente com a mudança. Não reclamava de morar aqui, penso que até gostava, mas, com certeza, preferia um apartamento luxuoso e central. Mas é melhor vê-la bem! Tomara que dê certo!".*

Duas horas depois as três retornaram conversando. Foram novamente à casa menor, e Eliete decidiu:

– Vou levar os móveis do quarto, a mesa de jantar... Sofá, vou levar o menor, que está na minha sala de televisão. Amanhã cedo Nelsinho mandará um caminhão com dois empregados para ficarem à nossa disposição. Primeiro, levarão o que irei doar. Em seguida, o que separarmos para o apartamento de Alex. Depois, carregarão o que dei para Mariângela, que irá com eles até sua casa.

– A senhora deu muitas coisas do apartamento de Alex para Mariângela. Será que ele não irá achar ruim?

– Provavelmente Alex não irá se lembrar do que tinha ficado no apartamento e achará que seus amigos levaram. Senti vergonha dos comentários do porteiro sobre meu caçula. Tenho certeza de que quando Alex voltar e vir tudo arrumado, ficará contente.

Nelson entrou na casa e ficou na sala. As horas se passaram e a noite chegou trazendo muito frio. Pediu em pensamento para André aparecer. Insistiu e, ao vê-lo, exclamou:

– *André, estou morrendo de frio!*

– *Não se morre quando já se está morto!* – respondeu rindo o recém-chegado. – *Vou tentar ajudá-lo. Vamos pensar primeiro em meias de lã. Pronto, aqui estão, coloque-as nos pés. Calça, blusa, casaco... Consegui! Agora você ficará aquecido. Vou tentar um cobertor... Nossa! Consegui!*

Nelson foi colocando as roupas.

– *Obrigado, André! Passei muito frio esta noite, estava gelado.*

– *Segure o cobertor junto a você* – aconselhou André. – *Talvez ele suma se ficar em algum outro lugar. Não consigo ainda plasmar algo permanente. Se o cobertor ficar junto a você, por sua vontade, permanece, e aí não sentirá frio. Foi somente por isso que queria me ver?*

– *Eliete vai se mudar daqui, desta casa em que vivemos por tantos anos! Vai trocar de residência com Nelsinho. Irá para o apartamento dele, e meu filho com a família virão para cá.*

– *Será melhor para ela* – opinou André –, *este lugar é muito grande para uma mulher sozinha. Apartamento é mais seguro.*

– *Foi isso o que concluíram. O melhor, na minha opinião, seria Eliete ir para a casa menor, mas ela nunca gostou dela e não quer voltar lá. Ouvi os pensamentos do meu filho, ele irá trazer os sogros, que têm uma filha adolescente, para morar na casa em que meu pai residiu.*

– *Tudo se modifica com o tempo, meu caro* – André o consolou. – *Um local pode, no decorrer dos anos, ter muitos moradores. É assim que tem de ser. Por isso nos é aconselhado a não nos apegarmos a nada de material, pois isso fica, e nós temos, pela mudança de plano, de abandonar. A continuação da vida é assim: uns vão, outros vêm, e tudo se transforma. E, com as crianças e a adolescente aqui, este lugar voltará a ser alegre.*

– *Também ouvi meu filho pensar que irá aumentar a altura dos muros, colocar mais proteção neles. Penso que ele está certo. Todos ficaram entusiasmados com a mudança.*

Vi-os alegres. Senti-me melhor vendo minha esposa contente. Ela irá mobiliar novamente o apartamento de Alex. Levará alguns móveis da casa menor, desta e comprará outros novos. Gostei disto. Alexander, quando sair da clínica, gostará deste carinho. Mas chateei-me com uma coisa: os dois, mãe e filho, decidiram não ajudar mais minha irmã Vanda. Queria que continuassem. Fiquei triste com minha impotência diante do fato.

– Acostume-se a isso – aconselhou André. – *Nem tudo o que queremos fazer, agora desencarnados, conseguimos. Aliás, podemos muito pouco, e nossa vontade não conta mais para os encarnados.*

– Hoje, quando pensei em Vanda, senti-me bem, calmo e com uma sensação agradável – contou Nelson.

– Com toda certeza ela ora por você!

– Ora? Como?

– Rezando, oras! – exclamou André sorrindo. – *Há tantas maneiras de orar! Preces agradecendo, pedindo etc. Sua irmã deve saber que você desencarnou, é grata e quer que esteja bem.*

– Puxa! Como a oração faz realmente bem!

– Faz mais para aquele que ora e, com certeza, também faz muito bem para seu alvo, ou seja, para quem se ora.

– Como será que Vanda está? Irá lhe fazer falta o dinheiro que mandava?

– *Se você quiser ir vê-la, levo-o amanhã* – convidou André. – *Não gosto de vagar por aí de noite, ainda mais onde não conheço.*

– Quero ir, sim!

– Venho amanhã lá pelas treze horas. Agora já vou!

– Obriga...

UM NOVO RECOMEÇO

Nelson não terminou porque o amigo volitou. Ele estava aquecido, embrulhou-se no cobertor e desejou continuar assim. Eliete e Zuleica conversaram muito e até mais tarde. Fizeram planos e andaram pela casa olhando todos os móveis e enfeites.

– Zuleica – decidiu a dona da casa –, vou dar a cama e a mesinha de cabeceira do quarto do Nelson para Mariângela. Não quero levá-las para o meu apartamento nem para o do meu filho. Talvez Virgínia queira fazer deste cômodo o dormitório de um dos meninos. A escrivaninha vou levar para o apartamento do Alex, penso que será bom para o meu caçula ter algo do pai. Será, Zuleica, que sentirei falta daqui?

– Claro que sentiremos! Porém, estaremos muito ocupadas arrumando o apartamento do Alex, preparando-nos para a mudança e depois para a viagem à casa de Luciana. Fiquei tão contente com o convite! Vou ajudá-la muito. Se a senhora continuasse aqui, eu não poderia ir, não tem como deixar esta casa sozinha. Depois, iremos dormir tranquilas no apartamento.

– É verdade, temos muito o que fazer. Pela primeira vez, desde que meu marido morreu, sinto-me animada.

– Não lhe disse para confiar no Nelsinho? Ele é um filho que vale ouro!

– Mas, ao pensar no outro, entristeço-me. Como será que Alex está passando? Estará sentindo frio? Está sendo bem alimentado?

– Não se preocupe com isso – aconselhou Zuleica. – Nelsinho mandou muitas roupas dele para a clínica. O pagamento é muito caro para ele não ser bem tratado. Vamos voltar aos nossos planos. Dona Virgínia afirmou que virá aqui amanhã cedo. Se não estamos com sono, vamos separar o que será queimado.

O ex-dono da casa viu a esposa abrir gavetas e as duas separarem objetos.

– Estes livros irão para a escola junto com os do senhor Antônio, e isto queimaremos amanhã cedo. O restante das roupas do Nelson doarei ao bazar. Vou dar isto para o jardineiro, isto irá para o asilo, e...

Nelson lamentou: "*Como dói ver objetos que nos serviram serem descartados. Gostava tanto dessa pasta, e ela terá outro dono... Dessa vez não ficará nenhuma roupa minha! Mas também não vou usá-las mais. Que outros as usem e façam bom proveito! Eliete irá queimar a maioria das fotos de meus pais. Guardou somente algumas. Um dia, talvez, um neto fará o mesmo com as minhas e com as dela. André tem razão, tudo muda, passa*".

Cansou de ficar vendo-as, foi para a sala e se acomodou no sofá. Estava aquecido. Resolveu orar. Sentiu-se bem e adormeceu.

Acordou disposto ouvindo Eliete e as empregadas conversando. Foi até elas, Zuleica vigiava o fogo e ia colocando fotos e papéis nele. Ficou perto da esposa, que tomava o desjejum. Logo Virgínia, sua nora, chegou, e as duas, sogra e nora, foram decidindo como fariam a mudança.

– Que bom que irá deixar a sala de jantar. Acho-a linda! – exclamou Virgínia.

– É grande demais para o apartamento. Eu também gosto da sua.

– Estou contente com a mudança. Nelsinho estava muito preocupado com você aqui sozinha – comentou a nora.

UM NOVO RECOMEÇO

Nelson ficou olhando-as, elas decidiram tudo o que iria e o que ficaria. Virgínia foi embora. Chegaram os dois empregados da firma com o caminhão. O ex-dono da casa os conhecia e gostou de revê-los. Primeiro, levaram tudo o que ia ser doado à escola e ao asilo. Depois, carregaram o que ia ser levado ao apartamento de Alex.

– Mariângela irá com vocês – falou Eliete para os dois empregados. – Mostrará onde colocar os móveis no apartamento do senhor Alexander e o que vocês devem retirar de lá. Depois, voltem aqui para pegar a cama, a mesinha e aí levá-las à casa dela.

Movimento, euforia, conversas, Nelson ficou somente observando. Almoçaram rápido.

– Quero acabar essa parte ainda hoje – decidiu Eliete. – Os objetos que ficaram na casa menor, é Virgínia quem decide o que fará com eles. Amanhã tenho de sair com meu filho, e você, Zuleica, com a secretária da firma para fazer os documentos. E, na semana que vem, trocaremos a casa pelo apartamento.

No horário marcado, André aproximou-se de Nelson.

– *O que é isso na sua barriga?* – perguntou rindo o recém-chegado.

– *Meu cobertor! Com medo de ele sumir, dobrei-o e o coloquei pertinho de mim. Com foi bom ficar aquecido!*

– *Deixe-o nesse canto da sala e tire o casaco, fique somente com a camisa e a blusa, agora não está tão frio!*

– *E se eles sumirem?*

– *Prometo* – falou André – *tentar fazê-los novamente. Você quer mesmo ver sua irmã?*

– *Quero, sim!*

– *Como não sei onde é, vamos volitar devagar. Iremos acima da rodovia até a cidade onde Vanda mora. Depois você irá me dizendo para onde devemos ir.*

– *Por que isso?* – perguntou Nelson.

– *Quando volito, tenho de ter rumo, saber aonde vou, onde é o local, para chegar. Penso que com todos os desencarnados ocorre isso. Pelo menos comigo é assim.*[13]

Os dois deram as mãos e volitaram.

---

13 N. A. E.: De fato, necessita o espírito que volita saber aonde irá. Os mais treinados o fazem com mais segurança. Muitas vezes, o volitante quer ir para perto de alguém, se liga por pensamento a esta pessoa e vai, podendo ela estar em outro país, no umbral etc. Porém, só se consegue isso se o outro estiver, de alguma forma, ligado ao volitante. Alerto que isso ocorre com desencarnados prudentes e com conhecimento. Mas a grande maioria daqueles que volitam tem de saber para onde irá. E muitos fazem como André, seguem uma rodovia, uma estrada, um roteiro... Exemplo: um desencarnado no Brasil quer ir à Itália. Volita rápido. Mas a Itália é um país grande. Ele tem de marcar uma cidade, um local, um endereço ou outra referência para ir ao lugar desejado. E tudo o que queremos fazer, seja no plano físico ou espiritual, deve ser planejado, bem elaborado para dar certo. Volitar é um grande prazer que desencarnados têm na Erraticidade.

CAPÍTULO TREZE

A visita

*F*oram volitando, seguindo a rodovia uns metros acima; para André, era devagar, para Nelson, muito rápido. Passavam pelos veículos ultrapassando-os, velozmente. Em dez minutos chegaram à cidade programada. Nelson foi indicando ao seu companheiro o caminho da casa de sua irmã.

– *Pronto, chegamos! É aquela casa ali, a pintada de azul.*

André parou na rua em frente à residência apontada. Um carro passou pelo mesmo espaço.

– *Meu Deus!* – gritou Nelson. – *O carro! Vai passar por nós. Ai! Mas o que aconteceu? Não fomos atropelados!*

– *Venha para a calçada* – André puxou-o pelo braço. – *Que escândalo! Se tiver algum desencarnado no quarteirão deve ter escutado seus gritos.*

– É que pensei que íamos ser atropelados!

– Se estivéssemos encarnados, seríamos e morreríamos, mas como estamos desencarnados, nada aconteceu. Você não tem prestado atenção ao que falo! Nós somos diferentes daqueles que estão vestidos com o corpo carnal e podemos ocupar o mesmo espaço que eles ocupam. Nosso perispírito é de matéria etérea, é um organismo fluídico. O carro passou por nós, ou nós passamos pelo veículo, e não aconteceu nada, nem a nós, nem ao carro.

– Desculpe-me, é que levei um susto. O que vamos fazer agora?

– Você não veio aqui para ver sua irmã? Vamos entrar.

– É que nunca entrei num lugar sem ter autorização do proprietário.

– O que sugere? – perguntou André. – Bater na porta? Quem nos escutará? Vamos passar pela porta fechada, entraremos na casa, você verá sua irmã, e sairemos.

– Isso pode ser feito em todos os lugares?

– Preste atenção! Já lhe expliquei que nós que vagamos não temos ainda onde morar, podemos ir a muitos lugares. Nós dois estamos vagando, não somos ainda bons, mas estamos longe de sermos considerados maus e podemos ir a muitos lugares. Os espíritos bons vão aonde querem, mas fazem isto para auxiliar ou visitar. Os maus podem querer ir, mas não podem entrar em determinados locais. Não estou vendo na casa de sua irmã nenhum empecilho que nos impeça de visitá-la.

Entraram na pequena área em frente à porta. Nelson assustou-se novamente. Esbarraram num desencarnado que saía da casa e os olhou de cima abaixo. André fez sinal para o companheiro ficar calado.

"*Se fôssemos encarnados*", pensou Nelson "*diria que esse sujeito é mal-encarado e...*".

– *Não sou somente mal-encarado, sou mau!* – disse o desencarnado.

André olhou para Nelson. Este compreendeu que o desencarnado havia ouvido seus pensamentos e tratou de não falar nem pensar.

– *Olá, amigo!* – cumprimentou André.

– *Hum...* – resmungou o desencarnado. – *Posso saber o que fazem aqui?*

– *Viemos ver Vanda, uma visitinha rápida...*

– *Aquela infeliz! Porém é infeliz porque quer! Não quis denunciar o marido* – resmungou o desencarnado.

– *Aquele safado!* – exclamou André.

– *Não gostam dele? Sendo assim, tudo bem. Se quiserem se unir a nós para castigá-lo podemos estudar seus propósitos e, se forem úteis, poderão se juntar a nós. O que ele lhes fez?*

Nelson ficou apreensivo, mas viu novamente o sinal de André para continuar calado, e o amigo respondeu tranquilamente:

– *A lista de atrocidades é grande. Porém Vanda é mais uma vítima!*

– *É vítima demais para o meu gosto! Ela não quer denunciá-lo para ele voltar à prisão.*

– *Talvez possamos convencê-la. Vamos tentar. Mas o que ele lhe fez?*

– *Simplesmente me matou. Por uma pequena discussão, à traição, expulsou-me do corpo físico. Deixei um filhinho de dois meses, minha companheira casou-se novamente, e meu rebento foi e é criado sem pai, com um padrasto que não liga para ele. Minha mãe sofreu muito com a minha morte. Odeio-o!*

– *São muitos os que querem se vingar?* – perguntou André.

– *Meu amigo e eu, que desencarnamos juntos, e um outro que ele assassinou na prisão.*

– *Qual é o objetivo de vocês? O que pretendem fazer com ele?*

– *Queremos que volte para a penitenciária* – respondeu o obsessor. – *Lá é o lugar dele. Queremos, se possível, que alguém o mate."*

– *Vou pedir a Vanda para denunciá-lo.*

– *Já vou indo* – falou o obsessor. – *Podem entrar, Vanda está sozinha em casa, o safado do marido está com a amante.*

Saiu da área e foi andando pela calçada, como se fosse um encarnado. Nelson ficou olhando-o até que virou a esquina e exclamou:

– *Que sufoco! Será que os outros vingadores não estão por aí?*

– *Creio que não. Por favor, comporte-se. Não fale e procure não pensar na presença de desencarnados que não sabe quem são. Este que falou conosco é um obsessor. Você não viu na reunião que fomos no umbral que isso pode ocorrer? Eles foram assassinados, não perdoaram e querem que o assassino sofra. O melhor é não dizer de jeito nenhum quem é você. Vamos entrar!*

O irmão de Vanda não tinha mais vontade de vê-la, quis voltar, mas André insistiu:

– *Com certeza o desencarnado vingador não voltará logo. Façamos uma visita rápida.*

Nelson entrou na sala, que estava diferente, faltavam vários móveis e a televisão. Escutou um choro e o amigo puxou-o para o quarto. Assustou-se ao ver a irmã, pois ela estava machucada, levara uma surra. Tinha muitos hematomas pelo corpo, olho roxo e inchado e os lábios feridos.

– *Vanda! O que lhe aconteceu?*

Nelson aproximou-se dela, sentiu pena, e a irmã, como que escutasse sua pergunta, falou baixinho se lamentando:

– Deveria ter tido coragem de dizer naquela tarde ao meu irmão que não queria que meu marido saísse da penitenciária. O horror voltou! Meu genro arrumou emprego em outra cidade, mudaram e sinto muita falta de Sônia e das crianças. Minha filha detesta o pai. Rogério já me pediu para denunciar meu esposo, ir embora daqui... Se meu filho me vir machucada assim irá enfrentar o pai e, com certeza, levará a pior. Ele levou vários objetos da casa, os que Nelson me deu, com certeza levou-os para a amante que arrumou. Quer vender a casa e pegar a metade do dinheiro. Casamos com comunhão de bens, e a metade é dele. Como recusei, ele me bateu. Ai! Como dói!

– *Desculpe-me, Vanda! Sou orgulhoso e prepotente! Perdão! Deveria ter lhe indagado o que você queria e não lhe dado o que eu quis!*

Nelson chorou, abraçou a irmã, e seus braços passaram por ela.

– Sou grata a você, meu irmão! – Continuou Vanda e se lamentou baixinho: – Eu agi como uma boba ao não ter coragem de lhe falar que meu marido é uma peste! Não vou aguentar outra surra. Vou vender a casa e exigir que ele não me procure mais. A parte que receberei irei dividir em três: uma para Sônia, outra para Rogério e outra para mim, que deixarei na conta bancária de Rogério. Marcelo pegou o dinheiro do primo Alex e foi para o litoral, comprou um barzinho na praia e diz que está trabalhando. Aquele é igual ao pai! Não posso contar com o dinheiro que recebia de Nelson, creio que a mulher e os filhos dele não mandarão mais, principalmente se souberem que Marcelo pegou o dinheiro do primo.

— *O que faço?* — Nelson perguntou ao companheiro.

— *Deseje de coração que ela fique bem.*

Ele o fez, pediu a Deus com fervor pela irmã e a viu respirar aliviada, falando decidida:

— Vou concordar em vender a casa e também sumir daqui. Tentarei arrumar um emprego longe, e meu marido não me verá mais. É isto! Surra nunca mais!

André puxou o companheiro pelo braço e os dois foram para a frente da casa.

— *Que violência! Deu-me nojo ver isso! E sabe por quê? Porque algumas vezes eu bati na Eliete! Não desse modo! Lembro-me da primeira vez. Minha mãe queixou--se dela, me infernizou. Fui para a casa menor onde morávamos e Eliete pediu para mudarmos. Discutimos e eu bati nela. Depois, sempre que não tinha argumento, se nervoso, dava-lhe uns tapas. Algumas vezes me arrependia e, para agradá-la, dava-lhe presentes caros. Não tolerava ser contrariado. Ao ver Vanda ferida, não somente no físico, mas na alma, pensei em Eliete. Nunca deveria ter lhe batido.*

André escutou calado, não fez comentário, seu amigo estava muito chateado consigo mesmo. Lembrou-se que ele também magoara a ex-esposa e algumas companheiras

UM NOVO RECOMEÇO

por se embriagar. Nunca bateu em nenhuma, por duas vezes foi ele que apanhou da ex-mulher por voltar tarde da noite ou por chegar em casa no outro dia cedo, embriagado. Para ele, as atitudes dele e do amigo eram parecidas, humilharam quem deveriam proteger e cuidar. Ficaram por uns três minutos parados em frente à casa da Vanda. Nelson enxugou o rosto e perguntou:

– *O que você pensa que irá acontecer com minha irmã?*

– *Não sei. O ser humano é tão imprevisível! Gostaria que Vanda ficasse bem. Penso que o lugar do marido dela é realmente na prisão. Mas ele, com certeza, não escapará da fúria de seus obsessores. Ainda mais porque, pelos seus atos presentes, parece que não se arrependeu e continua a proceder de modo errado; será um fantoche nas mãos de seus vingadores.*

– *O que faremos agora?*

– *O que você quer?* – perguntou André.

– *Queria mesmo ajudar Vanda. Lamento não saber! Não queria que meu filho parasse de auxiliá-la, queria...*

– *Pare com isso!* – pediu André. – *Não adianta se lamentar. Atos, uma vez cometidos, não se pode desfazê-los. Podemos repará-los em outras oportunidades. Ajudar? Tem de saber realmente como, para não pensar que está ajudando quando, na realidade, está atrapalhando. Quando há algo que não lhe cabe fazer, decidir, o melhor é esquecer. Convido-o para dar uma espiada no umbral. Não naquele pedaço que vimos, onde está localizado o salão, mas numa parte onde muitos sofredores fazem um estágio.*

– *Estágio?* – Nelson, curioso, quis saber.

– *Passam um período lá para um aprendizado. Não é assim que acontece? Uma pessoa encarnada faz estágio* num determinado local com a finalidade de aprender, conhecer uma forma de trabalho que poderá, no futuro, ser-lhe útil? Imprudentes permanecem no umbral para aprender a agir corretamente. Estágios acontecem por um período determinado e não a vida toda. E cada um fica na zona umbralina pelo período de que necessita.

— Recebia em minha empresa muitos estagiários, e alguns desistiam. Isso ocorre no umbral?

— Como você pergunta! — reclamou André. — Quando um desencarnado vai para o umbral é porque foi atraído para lá. Essa atração pode ser comparada à dos imãs. O erro e a maldade são o magnetismo que atraem para lá. Quando acaba ou diminui o egoísmo, o orgulho, esse magnetismo se enfraquece. Então, esse período termina e o desencarnado pode sair de lá. Aqueles que gostam desta atração se adaptam e vivem relativamente bem na zona umbralina, podendo aparentar alegria, mas não são felizes, porque não se pode ter felicidade desarmonizado, sentindo-se distanciado de seu Criador, de Deus. Os que não se adaptam, não gostam de estar ali, sofrem. É a dor que tenta ensiná-los. Por isso disse "estágio", e o mestre que tenta ensinar é o sofrimento. Quer ir lá dar uma olhadinha?

— Penso que sim, eu...

— Vamos logo – interrompeu André. – Não é bom ficarmos aqui parados, o marido de Vanda pode vir aqui e, com ele, seus obsessores.

André pegou no braço do companheiro e volitou com ele. Pararam num lugar muito estranho para o visitante. Terra batida, alguns buracos, pouca claridade, rara vegetação, árvores retorcidas e muitas pedras.

UM NOVO RECOMEÇO

– *É assustador!* – Exclamou Nelson, perguntando: – *Por que aqui é tão feio?*

– *Já tive essa mesma curiosidade e perguntei a um socorrista que trabalha na zona umbralina. Ele me respondeu que a beleza não é igual para todos. Porém o umbral é assim porque fluidos pesados destroem e empobrecem até a natureza. Aqui há muitas pedras, pois estas são de constituição mais forte. O ar é mais pesado. Difere-se do das colônias, onde moram seres harmonizados que embelezam o local. É melhor não fazer nenhum comentário. Pergunte depois. Observe somente.*

Seguindo as recomendações do amigo, Nelson prestou atenção no lugar e se assustou quando viu alguns desencarnados no chão, sujos, com expressões doentias e aflitas. Teve impulso de ir até eles. André o segurou e falou:

– *Auxilia aquele que sabe!*

Continuaram andando devagarzinho. Viram espíritos sozinhos ou juntos andando sem rumo, alguns pareciam completamente perturbados. Escutaram um barulho; parecia ser, para o visitante, pessoas correndo. O barulho foi aumentando, André puxou-o e encostaram-se numa pedra. Um grupo de desencarnados passou correndo, rindo, falando alto e o barulho tornou-se assustador. Passaram a uns dois metros deles. Nelson permaneceu imóvel, olhando-os. O grupo, homens e mulheres vestidos com roupas extravagantes e muito enfeitados, parecia indiferente ao local e aos que ali estavam sofrendo. De repente, um deles, um homem, parou e olhou para os lados, parecia que notara algo diferente, mas rapidamente se juntou aos outros. Nelson gelou, sentiu o coração disparado. O grupo sumiu numa curva, e, alguns minutos depois, não se ouvia mais o barulho deles.

– *Quero ir embora, por favor!* – rogou Nelson.

– *Observe mais um pouco. Não é muito sofrimento? Quando venho aqui fico semanas sem reclamar.*

O visitante olhou tudo, parecia um filme de horror, mas no qual o padecimento era real. Viu desencarnados machucados, feridos, em farrapos, e outros mais arrumados, mas todos sujos, talvez por terem a terra como leito. André pegou novamente em sua mão e volitaram. Pararam na área interna de sua ex-casa.

– *E aí, o que achou?* – perguntou André.

– *Infeliz de quem é orgulhoso! O que realmente somos?*

– *Somos o que fazemos.*

– *Senti muito medo quando vi aquele desencarnado parar e olhar para os lados. Pensei que ele tivesse nos visto. Você sabe por que ele parou?*

– *Penso* – respondeu André – *que sempre tem alguém nos grupos, como o que vimos, que exerce a função de espião ou protetor da turma, que fica mais atento para verificar se não estão sendo seguidos por desencarnados rivais e se está tudo certo no local por onde estão passando. Normalmente eles não se importam com visitantes nem com socorristas, a não ser que não tenham nada para fazer e resolvam se distrair atacando os trabalhadores do bem. Se grupos rivais estão guerreando, e os motivos para estas guerras são muitos, embora nenhum seja justificável, eles ficam mais atentos e os vigias são em maior número. Mas, pelo visto, parece que, no momento, todos os moradores daquele pedaço estão se entendendo.*

– *Por que guerrear?*

– *Guerras decorrem de atitudes de espíritos ainda inferiores que não aprenderam a ser pacificadores de si* mesmos. É assim: estou em conflito comigo, então ataco a todos. Você pensa que existe algum motivo para guerrear no plano físico? Tudo poderia se resolver se cada parte envolvida cedesse um pouco e tolerasse o que não pode ser cedido. No umbral é do mesmo modo. Com a diferença de que a população no plano físico é heterogênea, encarnados bons se misturam com os imprudentes. E na zona umbralina os moradores são mais homogêneos, se afinam e normalmente lutam pelo poder. Infelizmente, o poder exerce muita influência na maioria dos habitantes da Terra.

– Reconheci, no umbral – contou Nelson –, um senhor que foi muito prepotente. Tratava todos os que o rodeavam muito mal. Penso que foi orgulhoso. Veio à minha mente um ditado popular: "Para que orgulho se seu futuro é a morte?". Também penso que reconheci uma mulher que vi perto da pedra em que nos encostamos. Mas essa senhora foi pobre quando encarnada. Nunca pensei em vê-la naquele lugar.

– Você é observador! – elogiou André. – Meu caro, muitas vezes pensamos que o egoísmo e o orgulho são vícios das pessoas ricas. Mero engano! Talvez notemos essa característica mais nas pessoas de posses financeiras porque elas ficam mais em evidência e podem, pela posição que ocupam, desfazer das outras pessoas com mais facilidade. Muitas vezes orgulhosos reencarnam pobres para passarem por lições, mas muitos se recusam a aprender. Como não podem colocar em evidência seu orgulho, não demonstram, mas nem por isso o deixam de ter. Pobreza não é sinônimo de humildade nem riqueza de orgulho. Depois, para estagiar no umbral, os motivos são muitos...

– Uma vez ouvi de um padre católico que o mundo seria um paraíso se ninguém mais fosse orgulhoso e egoísta – comentou o ex-proprietário da casa.

– Sábio comentário. Concordo com esse sacerdote. Com certeza, desprovidos desses sentimentos ruins, seguiríamos à risca os ensinamentos de Jesus: "Ame!". Ame a Deus sobre todas as coisas. Ame a si mesmo e igualmente o seu próximo.

– André, sinto-me sujo! O cheiro do umbral parece ter-se impregnado em mim.

– Deseje estar limpo. Ajudo você!

Nelson se esforçou, sentiu-se melhor e comentou:

– Estou assustado com a morte!

– Deveríamos nos assustar com nós mesmos. Com as atitudes que somos capazes de ter. Eu tinha conhecimento de que deveria cuidar do meu corpo físico, da vestimenta carnal do meu espírito. Não o fiz e o intoxiquei com o álcool. Deveria trabalhar e não o fiz. O que aterroriza mais, o ato ou a reação? Com certeza deveria ser o ato.

– Você pode ter razão – comentou Nelson –, mas sinto pena de ver a reação, isso se o umbral for uma delas. Penalizei-me profundamente ao ver Vanda ferida e foi somente naquele momento que lamentei o agressor que fui.

– Sabe – comentou André –, concluí que quando ensinamos a uma pessoa, aprendemos. Às vezes até estranho quando explico algo a você, as palavras fluem na minha mente. Acabo entendendo várias coisas que antes não compreendia ou pelas quais não me interessava. Agora vou para o lar de meu filho, mas antes vamos ver se o seu casaco e o cobertor estão onde os deixamos.

UM NOVO RECOMEÇO

Entraram na sala, viram-nos no canto onde haviam deixado, mas fracos, um pouco opacos. André pegou as duas peças e elas voltaram a ficar como antes. Nelson as pegou e comentou:

– *Sou grato por eles, a roupa e o cobertor, me aquece-rem. Mas, agora, depois que fizemos essa visita ao umbral, eles já não são mais importantes. Por que não posso sentir frio? Quem sou para não poder sentir o desconforto da temperatura? Serei importante demais para ter o privilé-gio de ser agasalhado?*

– *Usar e não abusar devem ser o nosso objetivo neste mundo. Ser grato ao que se pode usar é sabedoria. Se você tem o casaco e o cobertor para usar, por que não fazê-lo? Se pensar nos outros que sentem frio e não usar o que dis-põe, será mais um com frio. Estou cansado, vou embora.*

André volitou. Nelson sentou-se no sofá segurando fir-me o cobertor e ficou pensando no que viu: "*O umbral definitivamente não é um lugar agradável! Vi hoje muita tristeza. Sinto medo! Por que será que eu não fui para lá? Sinceramente não sou merecedor de algo melhor*".

Orou agradecendo a Deus e pediu proteção, rogou com todo fervor para não ir para o umbral. Escutou Eliete e Zuleica conversando, comentavam sobre o que ocorreu à tarde. A empregada amiga contou:

– A secretária da firma foi muito gentil comigo. Não pre-cisarei mais sair com ela, que me garantiu que cuidará de tudo. E a senhora, como foi o encontro com os advogados?

– Sem novidades – respondeu a dona da casa. – O inven-tário está no esqueleto como um dos advogados disse, isto é, planejado, agora é terminar a parte burocrática. Irá ficar muito caro! São taxas e mais taxas... Definitivamente, meu

183

caçula ou eu não saberíamos organizar esse processo. Sinto por Alexander receber menos, mas não sei o que fazer. Meu esposo saberia!

– Se seu marido estivesse aqui não seria preciso fazer inventário! Dona Eliete, deixe o defunto em paz. Que ele descanse pela eternidade.

– Zuleica, será que existe descanso mesmo? Não consigo pensar em Nelson descansando por muito tempo. Ele gostava de trabalhar, de atividade.

– Talvez seja somente um modo de falar. O descanso pode ser ficar livre de problemas.

– Mas Nelson gostava de resolver problemas! – exclamou Eliete.

– Ah! Não sei! Vamos então desejar que o senhor Nelson esteja bem onde estiver e fazendo o que gosta.

– São mistérios! Mas tomara que meu marido esteja bem e não esteja vendo o que os filhos estão fazendo. Um na clínica e outro se aproveitando da ocasião para abocanhar a maior parte. Vou ajudá-la a fazer o jantar. Estou cansada e quero dormir cedo. Você vai sair?

– Combinei com minhas amigas de ir ao cinema. Quando estivermos no apartamento, será muito mais fácil sair à noite e a senhora não se sentirá sozinha.

As duas foram para a cozinha. Nelson foi junto e as ficou escutando: *"Como é ruim escutar e não poder opinar, dar sequer uma opinião. Gostaria de pedir para Zuleica não sair, fazer companhia para minha esposa"*.

Jantaram. Eliete foi ver televisão e Zuleica, arrumar-se. Quando a empregada saiu, a dona da casa se sentiu muito sozinha e chorou. Sentia medo da solidão, de estar agindo errado e insegura quanto ao futuro. Nelson ficou somente

UM NOVO RECOMEÇO

a olhando; resolveu rezar para os familiares e, surpreso, viu a esposa desligar a televisão e orar. Ambos se acalmaram. Sentindo sono, Eliete foi dormir. Nelson, cansado, se acomodou no sofá e dormiu também.

CAPÍTULO QUATORZE

Na clínica

Nelson acordou com o barulho das empregadas. Quando percebeu que Mariângela ia levar o café para o guarda, foi para a cozinha e ficou perto de Zuleica. Logo Eliete levantou-se e as duas programaram o que iriam fazer naquele dia. Depois de ter feito seu desjejum, a dona da casa foi para a sala, acomodou-se numa poltrona, orou e depois decidiu: "Vou telefonar para a clínica. Estou saudosa! Preciso falar com Alex e ouvir dele mesmo como está".

– *Concordo com você, minha querida* – disse Nelson, que ouvira a esposa pensar. – *Faça isso! Procure saber como está nosso caçula. Escute-o e o trate bem.*

Eliete foi para o corredor onde estava o telefone, sentou-se na poltrona e discou. Seu coração batia forte. Primeiro ela conversou com a atendente, que afirmou que

UM NOVO RECOMEÇO

Alexander estava se recuperando. Com a insistência dela, a moça passou para o médico que cuidava de Alex.

– Senhora – disse o médico –, Alexander chegou bastante intoxicado pelas drogas e depressivo. No começo falava demais, agora tem estado muito calado.

– Por favor, doutor, permita que fale com ele – rogou Eliete.

– Está bem. Volte a telefonar em trinta minutos. Pedirei à atendente que o leve para perto de um aparelho telefônico para a senhora falar com seu filho. Porém, por favor, diga a ele somente palavras de conforto, carinho e incentivo.

Eliete agradeceu e se despediu do médico. Ficou contente com a possibilidade de conversar com o filho, mas também nervosa. Andou pela casa e olhava o relógio a todo instante. Nelson também ficou ansioso, queria saber como o filho estava e rogou para que pudesse escutar a conversa: "*Devo ficar calmo. Preciso me acalmar*".

Respirou fundo, viu Eliete suspirar, e os dois tentaram se acalmar. No horário marcado, a dona da casa ligou, foi atendida, e depois de se identificar, falou com o filho. Para alívio do recém-desencarnado, que ficou pertinho da esposa, ele escutou a conversa.

– Mãe!

– Filho, que saudades! Como você está? A clínica pediu para que não tentássemos falar com você. Insisti com o médico. Diga-me, você está sendo bem tratado? Tem feito muito frio, você está agasalhado? Tem se alimentado direito? A comida é boa?

– Mamãe – respondeu Alex dando a impressão de estar sorrindo –, não se preocupe. A clínica é boa, estou agasalhado, a comida é razoável, mas estou preso.

– Filho, é para o seu próprio bem. Assim você sara do seu vício.

– Como você está passando? Está sentindo muito a falta do papai? Está sofrendo? Como tem se virado? Muitos problemas?

– Nelsinho está tomando conta de tudo. Sinto, sim, falta de seu pai.

– Mamãe – Alex chorou –, perdoe-me! Não queria vê-la sofrer.

– Não chore, filhinho! Não sofra! Eu não estou sofrendo muito, somente um pouquinho. Estou bem. E tudo ficará bem.

– Fiz você sofrer! Estou fazendo!

– Não! Você não me fez sofrer. Somente estou preocupada com você. Quer sair da clínica? – perguntou Eliete.

– Quero sarar, mamãe! Você não está mesmo padecendo? Todos sofrem com a morte.

– Não pense em mim, Alex, estou bem. É natural que tenha sentido falta de seu pai, estivemos casados tanto tempo. Mas estou bem.

– Está mesmo? – insistiu Alex.

– Estou, sim, filho. Por favor, não se preocupe comigo.

– Amo você. Por favor, não sofra. Você gostava do papai?

– Sim, claro que sim! – afirmou Eliete.

– Vamos poder conversar três vezes por semana. Você me liga? Podemos marcar horário... Pela manhã, às dez horas. Está bem? Às segundas, quartas e sextas-feiras.

– Pode ficar perto do telefone que ligarei. Amo você também!

Despediram-se. Eliete chorou alto. As duas empregadas vieram rapidamente ver o que estava acontecendo.

– Falei pelo telefone com Alex. Estou com muitas saudades dele. Meu filho está preocupado comigo. Antes ele não se preocupava.

– Isso não é bom? – perguntou Mariângela. – Tenho certeza de que a preocupação dele é sinal de melhora.

– Mariângela – pediu Zuleica –, vá pegar um copo com água e açúcar para dona Eliete.

Assim que ela foi cumprir a ordem, Zuleica perguntou:

– Por que realmente a senhora está chorando?

– É por saudades. Hoje acordei saudosa. Sinto falta do Nelson, até de suas implicâncias e grosserias. Não quero mais falar, lembrar dos momentos tristes que passei com meu marido. Ele era também trabalhador, honesto, dava-me segurança, era meu companheiro, decidia tudo, não deixava eu me preocupar com nada. Também estou com saudades de Alex. Ele me garantiu que está bem.

Mariângela trouxe a água, Eliete a tomou, e o telefone tocou. Era o médico da clínica. Nelson novamente ficou por perto, atento para escutar.

– Dona Eliete – disse o médico –, sua conversa fez bem ao Alexander. Ele chorou muito.

– Mas isso é bom? – perguntou Eliete.

– Ele estava muito apático, e esse desabafo, o choro, fez com que saísse da apatia, isto é bom sinal. Quero orientá-la: muitos pais acabam fraquejando e tirando seus filhos da clínica antes de o tratamento ser concluído. Alerto-a de que este procedimento é incorreto. Alex estava muito intoxicado e depressivo.

– Errei ao perguntar a meu filho se queria sair da clínica. Vou deixá-lo aí até receber alta. Prometo!

– Sendo assim, a senhora está liberada para visitá-lo – falou o médico.

– Vou, sim!

Eliete ficou contente e marcaram dia e hora.

Assim que desligou o telefone, ela ligou para seu primogênito, contou a novidade, e Nelsinho exclamou:

– Isso é ótimo! Espero, mamãe, que cumpra a promessa e não volte da visita com ele. Vou mandar Marquinho, nosso melhor motorista, vê-la no domingo.

Eliete desligou o telefone e com Zuleica passou a fazer planos para a visita que fariam.

– Vou junto, se a senhora permitir. Se não puder entrar na clínica, espero no carro. Vou fazer bolos, bolachas e o doce que ele mais gosta. Vamos levar e...

Nelson afastou-se, foi para perto da piscina e lamentou:

– *Queria tanto ver Alex! Tenho medo de ir com minha esposa. E se encontro algum desencarnado mau e ele me pega? É arriscado! Terei de ficar, esperá-las e torcer para elas comentarem a visita para saber de Alex. Senti-o preocupado com a mãe, pareceu que ele não quer que ela sofra pela minha morte. Talvez se sinta culpado por ter me deixado nervoso.*

Estava inquieto, aborrecido e reclamou:

– *Que chato estar morto! Como é ruim viver assim!*

– *Olá! Bom dia!*

Nelson assustou-se, deu um pulo, mas respirou aliviado quando viu André à sua frente e rindo do seu susto.

– *Assustado comigo?*

– *Estou agora com mais medo de desencarnados do que quando estava no corpo físico. Encarnados, quando veem um espírito, sentem medo, ficam assustados, dizem*

UM NOVO RECOMEÇO

ter visto fantasmas. Aí o corpo carnal morre, e a pessoa vira um desencarnado. E pode pensar: "Tudo bem, agora somos iguais. Sou também um fantasma". Mas não é bem assim. Eu, quando encarnado, não vi nenhum morador do Além, dizia não ter medo, mas agora tenho, e muito. Mas você aqui a esta hora? Alegro-me com sua presença!

– Não tinha nada para fazer e resolvi visitá-lo. O que faz aqui, em frente à piscina? – perguntou André.

– Estou pensando... Também não tenho o que fazer. Eliete telefonou para a clínica onde meu filho caçula está internado e deram-lhe notícias. Ela teve permissão para falar com ele. Estou com muitas saudades de Alex. Ele está preocupado com a mãe e não quer que ela sofra com minha morte. Talvez ele se sinta culpado por ter discutido comigo, me deixado nervoso...

– Você o culpa?

– Realmente não. De fato, Alex extrapolou, me enfrentou, agiu muito errado, mentiu que fora o primo quem havia atropelado aquelas pessoas e, para fazer o primo assumir sua culpa, roubou para pagá-lo. Mas até estranhei, não fiquei muito nervoso. Se me alterei, foi porque não me controlei. Tenho a certeza de que Alex nunca pensou que, pela nossa discussão, eu fosse ter um ataque, um infarto. Minha esposa irá visitá-lo no domingo. O motorista da firma irá levá-la, e Zuleica irá também.

– Você quer ir junto? – perguntou André.

– Queria muito vê-lo. Mas tenho medo de encontrar desencarnados maus por lá.

– Se quiser, levo você.

– No domingo?

– Não, agora – respondeu André. *– E aí, quer ir?*

– Quero! André, não sei como agradecê-lo.

– Tire esse casaco e o cobertor da barriga. Vamos deixá-los no mesmo canto. Sei onde é a clínica. Levo-o lá e o trago de volta.

Nelson ficou ansioso, queria realmente rever o filho caçula, mas, ao mesmo tempo, sentiu-se receoso. "Será que na clínica irei encontrar outros desencarnados?", pensou.

– Sim, irá – respondeu André, que ouvira seus pensamentos. – É difícil ir a algum lugar completamente deserto, nem que seja habitado só por animais. Mas onde os encarnados estão normalmente os desencarnados estão também, e os motivos são muitos para estarem no mesmo espaço. Não precisa sentir medo, procure fazer o que eu fizer: não seja arrogante, não se intrometa em conversas, observe sem aparentar muita curiosidade, não interfira em nada e obedeça às normas do local onde está.

– Vou seguir suas recomendações. Vamos!

Volitaram rápido e pararam em frente à clínica.

– Vamos ficar na fila – determinou André.

Nelson, admirado, viu uma fila onde estavam doze espíritos. Outros desencarnados estavam próximos à entrada: alguns conversando, outros calados, mas, infelizmente, ninguém aparentava estar alegre. Naquele momento, nenhum encarnado estava em frente à clínica. O visitante observou o lugar. A clínica era bonita, uma chácara com muitas árvores, cercada por muros altos, e um portão de ferro todo desenhado era a única entrada. De onde estava, via, do outro lado do portão, uma área asfaltada, um grande estacionamento. O prédio era um sobrado grande, com muitas janelas e vidraças, pintado recentemente de cores claras. Em frente ao portão, havia barraquinhas que, naquele momento, estavam fechadas. André também observou o local e explicou ao companheiro:

– *Todos os dias, das onze às quinze horas, desencarnados podem visitar os internos, mas, para isso, têm de passar pela entrevista. Com certeza, somente têm permissão aqueles que têm motivos para rever os internos. As visitas para os encarnados são às quartas-feiras e domingos, e, com certeza, os donos dessas barraquinhas abrem somente nesses dias.*

– *Como sabe disso?* – perguntou Nelson.

– *Está no aviso daquela placa. É só lê-la. Repare que existem duas placas informativas. Uma somente para encarnados, e a segunda para os visitantes que, como você e eu, já mudaram de plano. A vantagem para nós, desencarnados, é que lemos as duas.*

Nelson olhou, leu e sorriu. A clínica era de fato um lugar bonito. A fila andava, e uma senhora que acabara de ser atendida passou por eles, sentou-se ao lado da fila num tronco de árvore e se pôs a resmungar e a chorar alto.

– *Não me permitiram ver meu filho! Jorge! Jorginho, meu filhinho! Queria tanto vê-lo! Quero você!*

Nelson, seguindo as recomendações, somente olhou e se sentiu penalizado ao ver a senhora chorar. O trabalhador desencarnado que entrevistava aqueles que queriam fazer visitas saiu do seu lugar (estava sentado atrás de uma mesinha que continha vários papéis), veio até a senhora e pediu:

– *Por favor, dona Ana, não fique assim. Sua visita não foi permitida por esse motivo, a senhora está descontrolada.*

Tente se acalmar. Da outra vez que entrou na clínica teve de ser retirada.

— *Quero ficar o tempo todo com ele* — respondeu a senhora — *e não uma hora, por isso não quis sair, e eles me levaram para conversar com aqueles encarnados numa sessão espírita.*

— *Eles não a trataram bem?* — indagou o trabalhador.

— *Foram educados e prestativos, mas não fizeram o que lhes pedi. Roguei por Deus para me deixarem ficar perto de meu filho, como pedi agora para o senhor, "pelo amor de Deus". O senhor não me atendeu nem eles, os espíritas. Vocês dizem fazer o bem, a caridade. Discordo! Por que não atender a uma pobre mãe?*

— *Dona Ana, desencarnados como a senhora perturbam e, se permanecem perto de um encarnado, isso passa a ser obsessão. Se ficar com seu filho assim, nervosa, não estará fazendo bem a ele. Nós ajudamos sim, tentamos ser caridosos, mas o auxílio prestado tem de ser algo bom para os envolvidos e resultar em benefício. Tente compreender.*

— *Como uma mãe amorosa pode não fazer bem ao filho? O senhor me ofende!*

Levantou-se e se afastou. O trabalhador voltou ao seu lugar.

— *Posso passar na frente? Por favor!*

Uma senhora aproximou-se da fila.

— *Senhora, por favor* — pediu o trabalhador que atendia —, *fique no final.*

A senhora ficou, mas falava sem parar, embora baixinho, incomodava. André, vendo seu companheiro curioso, explicou:

UM NOVO RECOMEÇO

– Em quase todas as clínicas, hospitais, há trabalhadores do bem que vêm auxiliar, e esta ajuda abrange os encarnados internos que buscam se curar, assim como desencarnados necessitados que aqui vêm. O prédio que vê é cercado por muros altos, o portão é reforçado. Se você observar bem, poderá ver, junto à construção da matéria física, outra construção com a matéria que nós, desencarnados, usamos. Isso só serve para impedir que espíritos que saibam entrar nas construções da matéria bruta o façam aqui sem permissão. É por esse motivo que há esta fila. Aquela senhora, mãe de um dos internos, não teve permissão porque, com certeza, obsedia o filho.

– Não entendi – Nelson disse admirado. – Obsediar não é um ato ruim? Aquela senhora parece amar o filho.

– Existem muitos motivos para a obsessão – respondeu André. – Você viu que existem aquelas que acontecem por vingança, o querer que o desafeto sofra. Mas também vemos desencarnados que querem ficar perto daqueles a quem amam sem permissão, sem compreensão. Dessa forma se perturbam e, consequentemente, perturbam o encarnado. Pelo que entendi, dona Ana já foi levada para receber orientação no centro espírita, mas não aceitou a orientação recebida e continuou obcecada pelo filho.

Chegou a vez de serem atendidos.

– Nomes, por favor – pediu o atendente. – Quem quer visitar e por quê?

Nelson deu as informações pedidas e completou:

– Sinto saudades do meu filho Alexander, quero somente revê-lo. Prometo não incomodá-lo e respeitar o horário. Este é meu amigo que me trouxe aqui. Ele pode entrar comigo?

– *Sim, pode* – respondeu o atendente. – *As recomendações são as seguintes: por favor, esforcem-se para não chorar; nada de acusar e lamentar, aqui já há muitas tristezas, então não as aumentem; se puderem, incentivem-no a continuar o tratamento, a orar e rogar forças para vencer o vício. Aguardem uns instantes ali. Logo Gilberto, um trabalhador da casa, os levará até Alexander.*

Nelson agradeceu e aguardaram no local indicado, a uns dois metros da mesa do atendente. Logo foi a vez da senhora que queria passar na frente para ser atendida. Como estavam perto, ouviram a conversa dela com o trabalhador.

– *Dona Alice* – disse o atendente –, *a senhora saiu do posto de socorro. Não estava bem lá? Por que veio sozinha?*

– *Como ficar lá se minha filha me chama o tempo todo? Nem sei se estava bem, estou intranquila com minha filha e vim. Preciso vê-la!*

– *A senhora sabe que Belinha está em tratamento e com algumas dificuldades, mas estas são passageiras e irão, se Deus quiser, passar. Logo estará bem. Sabe que não pode ficar perto dela.*

– *Mas é ela quem me chama! Minha filhinha me quer perto dela!*

– *Vou pedir para Justina levá-la para ver Belinha e depois a senhora irá novamente para o posto de socorro. Concorda?*

– *Tenho alternativa? Se não tenho, concordo.*

Uns três minutos depois uma servidora desencarnada da clínica aproximou-se daqueles que esperavam para entrar no prédio, olhou para a senhora, que agora sabiam se chamar Alice, e falou:

UM NOVO RECOMEÇO

– *Dona Alice, Belinha está agitada. Vamos acalmá-la, mas para isso a senhora necessita ficar calma. Ore, pense em Jesus.*

– *Ela tentou de novo o suicídio?* – perguntou Alice.

– *Não, aqui não tem como. Por isso, com todo carinho, peça a sua filha para continuar o tratamento e para se acalmar.*

– *Belinha quase desencarnou naquela noite em que tomou remédios com álcool.*

– *Por isso a senhora tem de estar tranquila para vê-la. Depois da visita irá novamente para o posto de socorro e se esforçar para se melhorar, aprender a viver como desencarnada e aí, quando souber, poderá ajudar Belinha. Porque, dona Alice, um necessitado não consegue auxiliar outro. Sente-se bem?*

Com a afirmativa dela, Justina convidou-a:

– *Então vamos entrar.*

As duas saíram. Um trabalhador aproximou-se do grupinho que esperava, eram oito visitantes, e se apresentou:

– *Sou Gilberto, vou acompanhá-los na visita. Vamos somente aguardar por cinco minutos, é o tempo de sair um grupo para entrarmos.*[14]

– *Estou impressionado* – comentou um senhor do grupo – *com essa senhora que acabou de entrar no prédio.*

---

14 N. A. E.: Nessa clínica, as visitas de desencarnados aos internos encarnados se dá desse modo, isso porque a maioria dos toxicômanos tem companheiros moradores do Além, também doentes e viciados. E estes são impedidos de entrarem. Muitos locais de auxílio (hospitais, creches etc.) têm adotado essa medida, que é muito útil. Só não é mais por falta de trabalhadores. E os rogos de Jesus ecoam por todo o planeta: "Grande é, na verdade, a messe, mas os operários são poucos. Rogais, pois, ao dono da messe, que mande operários para sua messe" (Evangelho de Lucas 1, 2). Deixemos, leitores amigos, de sermos servidos e passemos a servir como servos úteis.

Ela saiu do posto de socorro sem permissão porque a filha a chamava. Eu vim visitar meu neto. Também estou num abrigo, mas vim com permissão. Não era melhor para mãe e filha seguirem as normas?

– Eu também vim ao plano físico com permissão – disse uma senhora. *– Vim visitar a família encarnada e estou aqui para ver um filho de uma sobrinha. O garoto é problemático, minha sobrinha sofre muito por ele. Porém, compreendo essa senhora, a dona Alice. Se um filho meu, ou filha, me chamasse insistentemente, com certeza iria sair sem pedir da colônia onde moro e viria para perto dele.*

– Temos de aprender a lidar com os sentimentos – esclareceu Gilberto. *– Devemos sempre querer o melhor para nosso ser amado. Não importa a distância e onde esteja, nosso amor o atinge. Este sentimento deve ser puro, sem egoísmo. Devemos desejar felicidade aos nossos afetos. Sei de muitas pessoas que chamam aqueles que amam e mudaram de planos para perto de si. Normalmente fazem isso por ignorar que esse gesto prejudica o ser amado. Porém, todas as religiões aconselham a aceitar a separação, a orar pelos que partiram para o Além.*

Gilberto fez uma pausa, percebeu que todos estavam atentos a suas explicações e continuou a elucidar:

– Para esclarecê-los, digo-lhes que Belinha foi uma filha problemática, rebelde, inquieta, não quis estudar, não gosta de trabalhar e se envolveu com drogas na adolescência. A mãe sempre foi seu porto seguro, aquele ser que tudo aceitava, compreendia e que lhe deu apoio em todos os momentos. Com a desencarnação da genitora, Belinha, então, percebeu o tanto que foi amada. E sentindo-se

agora necessitada, porque foi abandonada pelo homem que ama, pois este não suportou seu envolvimento com as drogas, ela tentou suicídio. O pai a internou, e Belinha está sofrendo. E então, como sempre a mãe a socorria quando ela sofria, chama-a. A equipe encarnada está orientando-a para não agir assim, para não chamar pela mãe, mas não tem conseguido resultado. Dona Alice por três vezes saiu sem permissão para vê-la. Espero que, depois de ver a filha, ela volte ao posto e não a atenda mais.

– O que será que acontecerá com Belinha? Irá melhorar? – perguntou André.

– Esperamos que desta vez se recupere – respondeu Gilberto. *– Belinha gostou de uma psicóloga que a está atendendo, e a profissional, percebendo o interesse dela na possibilidade de conversar com o espírito da mãe, deu-lhe de presente* O Evangelho Segundo o Espiritismo, *e ela tem lido. Se ela seguir uma religião, terá forças para enfrentar seus problemas quando sair da clínica. Sempre os nutrimos de esperança e esperamos que nossos doentinhos se recuperem. Pronto, um grupo de visitantes saiu e podemos entrar no prédio.*

Aproximaram-se do portão de ferro dos encarnados e Gilberto abriu um vão nele como se fosse uma porta. Passaram. Nelson atravessou as barras da matéria física, como se elas não existissem. Caminharam pelo pátio, entraram no prédio. Atravessaram algumas saletas e, numa delas, viram um moço sentado no chão segurando os joelhos com as mãos, balançando o corpo e chorando. Gilberto explicou:

– Esse é o filho daquela senhora, dona Ana, que foi impedida de vê-lo. Reparem que ele está sentando como

ela está lá fora. Mas logo ele melhorará. Já pedimos ajuda a um grupo de trabalhadores de um centro espírita que virá logo para levá-la e novamente tentarem, no trabalho de orientação a desencarnados, auxiliá-la. Quando levarem-na, com certeza a adormecerão até a próxima reunião. Dona Ana dormindo não irá influenciar o filho e ele melhorará.

– Por que ele está aqui? – perguntou alguém do grupo.

– Para tratar dependência química – respondeu Gilberto. – *O pai o colocou aqui pela terceira vez na tentativa de libertá-lo do vício. Chegamos. Vocês farão suas visitas sozinhos. Se precisarem de mim, estarei naquela saleta. Nesse quarto está João Alberto; nesse, Fabíola; aqui, Alexander; no pátio estão Melina e Fabiano.*

Gilberto foi mostrando o local onde os visitantes encontrariam as pessoas que haviam ido ver. André e Nelson entraram no lugar indicado. O quarto era simples, mas confortável. Alex estava sentado numa poltrona com um livro aberto em sua frente. Ele olhou o relógio e falou baixinho:

– Hoje tenho aula de ginástica. Quero me exercitar, cansar o corpo para dormir melhor.

– Alex, meu filho! – exclamou Nelson emocionado. Virou para André e comentou: – *Ele está com a aparência mais sadia, deve ter engordado. Eliete ficará contente ao vê-lo.*

Alex parou de ler, deixou o livro aberto no colo e se lembrou do pai:[15] "Papai, como será que você está? Tenho a certeza de que a alma, o nosso espírito, não morre. Então você deve estar vivo em algum lugar e deve saber de tudo".

---

15 N. A. E.: Não é sempre que isso ocorre, um encarnado lembrar-se de um desencarnado porque ele está perto. Com toda certeza, Alexander, na clínica, lembrava-se muito da família e do pai falecido.

UM NOVO RECOMEÇO

Nelson ouviu os pensamentos do filho e se aproximou mais dele. André encostou-se na porta e olhou para a janela, não queria ser indiscreto, mas também não queria deixar o amigo sozinho com o filho.

"O que mais queria neste momento", continuou Alex pensando, "era pedir perdão ao papai. Não éramos amigos, ele sempre foi tirano, mas eu também não fui bom filho. Mamãe virá me ver no domingo, gostaria que ela estivesse bem. Sinto-me pior sabendo que está sofrendo pelo papai. Errei!".

– *Filho!* – Nelson esforçou-se para continuar tranquilo, concentrou-se, olhou para o filho com carinho, desejou muito consolá-lo e disse: – *Alex, você agiu errado, porém foi por causa das drogas. Livre-se delas, meu filho! Sare e vá, depois, viver sua vida com dignidade.*

"Roubei a empresa!", continuou Alex pensando e se lastimando.

– *Quanto, filho? Por favor, diga!*

Alex pensou na quantia e nele negociando com Marcelo, dando-lhe o dinheiro. Era a quantia que ele sabia e não a que seu primogênito falara à mãe. Nelson suspirou e beijou o filho na testa. Não sentiram o contato, nem o encarnado nem ele, mas ambos sentiram o carinho.

"Papai, me perdoe! Matei você!"

– *Não, meu filho, não me matou! Fiquei aborrecido, preocupado, mas nem fiquei muito nervoso. O infarto aconteceu porque minha pressão subiu.*

Alex estava triste, o remorso o estava fazendo pensar muito no ato imprudente que cometera.

"Por que fui trocar os remédios?"

– *Como? Explique, Alex!* – Nelson falou autoritário.

201

Alex pensou: "Rodrigão, meu amigo de vício que estudou farmácia, arrumou para mim uns comprimidos de calmantes muito parecidos com o remédio de hipertensão que papai tomava. Quando comecei a precisar de dinheiro e a agir mais errado, troquei uns comprimidos dele pelos calmantes e, depois que aconteceu o acidente, em que atropelei aquelas pessoas e dei o desfalque, troquei todos os remédios. Minha intenção era acalmá-lo para ele não me agredir, investigar o que fiz e me internar. Na última vez que troquei, havia no vidro onze comprimidos, tirei-os e coloquei seis. E, como Rodrigão me garantiu, o calmante somente o deixou mais calmo. Tudo parecia bem, até que morreu. Eu o matei! Sem o remédio, a pressão arterial dele subiu e ele sofreu o infarto. Naquela manhã, quando cheguei ao hospital e soube que papai falecera, fiz um escândalo, sedaram-me e acordei aqui. Internaram-me. O que a droga fez comigo? Meu Deus! Roubei e matei!".

Nelson estava agachado perto do filho. Levantou-se. Não conseguiu segurar as lágrimas que, abundantes, escorreram pelo rosto. Suspirou fundo. André, preocupado, olhava-o; ele escutara tudo, porém continuou calado, imóvel, encostado na porta. Nelson andou pelo quarto; de repente, parou e exclamou:

– *Em situação difícil, o melhor que temos a fazer é orar. Pai Nosso que está no céu, como deve estar aqui também, ajude-me! Meu Deus, oriente-me! Por favor! O que devo fazer?*

Enxugou as lágrimas, aproximou-se novamente do filho e disse vagarosamente:

– *Alex, o erro existe na intenção. Sempre falei isso! Agora entendo melhor essa frase. Sua intenção, ao trocar* os remédios, foi me acalmar. Foi inconsequente! Mas não é um assassino! Não me matou! Por favor, não se martirize assim.

"Será que papai me perdoará?", continuou Alex pensando. "Ele era tão bravo! Por que fui fazer isso? Mesmo se papai me perdoar, eu nunca me perdoarei."

— Perdoo, sim, meu filho! Esforce-se, por favor, para se livrar desse vício! Você é jovem, recomece!

Alex voltou a ler o livro. Nelson olhou para o companheiro e indagou:

— Você ouviu?

— Desculpe-me, não quis ser indiscreto, mas ouvi e admiro você. Perdoou-o de fato?

— Amo meu filho! Agora que estou privado da companhia dele, entendi que o amo muito. Alex sofre; com certeza, irá conviver com o remorso e continuará sofrendo. Será que podemos ir embora antes do término da visita?

— Vamos ao corredor, chamarei por Gilberto, e pediremos para sair.

Nelson acompanhou André, viu o companheiro conversar com Gilberto, e este os acompanhou até o portão. Agradeceram, despediram-se e volitaram para sua ex-casa. Pararam em frente à piscina.

— Obrigado, André. Agora, se não se importar, gostaria de ficar sozinho.

— Tudo bem, vou indo, lembro-o de que logo irão fechar a casa e que não deve ficar muito tempo aqui fora. Mas, se ficar, me chame que eu o coloco para dentro. Tchau!

André volitou; Nelson foi para um canto perto das árvores, chorou alto por alguns minutos e lamentou:

– *Morri mesmo para o mundo! Que decepção! Uma desilusão atrás da outra. Se não fosse a atitude de Alex, estaria vivo, encarnado e nada disto estaria acontecendo. Mas como ficar com raiva dele? Viciou-se e não percebi porque não prestava atenção no que ele fazia. Alex fez isso sem pensar nas consequências. Como não perdoá-lo se está sofrendo? Com certeza esse seu ato o incomodará enquanto viver no plano físico. Depois terá outro castigo, recebendo menos de herança. Ah! Como gostaria de ter morrido mesmo e não saber nada disto. Ter acabado de vez ou ido para um lugar onde ficam somente os mortos.*

Quando se cansou de chorar, resolveu entrar na casa, com receio de ficar do lado de fora. Zuleica estava fechando as janelas, e Eliete tomava um chocolate quente. Não quis ficar perto delas, foi para a sala e orou. Recitou preces decoradas, mas, prestando atenção no que dizia, rogou, do seu modo e com sinceridade, por ele e por todos os familiares. Enrolou-se no cobertor e dormiu.

CAPÍTULO
QUINZE

O auxílio

Nelson foi despertado com um barulho na cozinha. Levantou-se e ficou escutando; quando percebeu que Mariângela havia saído da casa, foi para perto de Zuleica e se sentiu alimentado.

"O que faço é ridículo! É muito deprimente viver assim. Não posso continuar vivendo deste modo. Que tristeza!"

Andou pela casa, foi para a área interna, rodeou várias vezes a piscina...

"Definitivamente, não consigo ficar sem fazer nada. A ociosidade para mim é um castigo! Como gostaria de fazer algo. Vi ontem na clínica desencarnados trabalhando. Trabalho edificante com o qual se ajuda outras pessoas. Se uns trabalham, eu posso aprender e ter o que fazer."

Passou o dia inquieto e não se interessou pelas conversas das três: Eliete e as empregadas.

"Que chato ficar ouvindo-as: falam de roupas, cabelos, mudança e Mariângela, de namorados. Se a minha continuação de vida for assim é um castigo que fiz por merecer."

Procurou não pensar nos filhos nem no que soube no dia anterior. Queria esquecer. Foi doloroso demais saber o que Alex fez.

"Que ingenuidade trocar os remédios para me acalmar. Como se comete atos errados pelo vício... O tóxico é algo que tem prejudicado muitos. O viciado se acaba, sofre, e a família sofre junto."

Resmungou, andou, chorou, ficou o dia todo muito triste, mas também rezou. À tardinha chamou pelo amigo. Quis que André viesse visitá-lo. E ele veio.

— *Que bom que me atendeu!* — exclamou o ex-dono da casa.

— *Aconteceu mais alguma coisa? Precisa de algo?*

— *Se acontecer mais alguma coisa, morro mesmo! André, você sabe como se morre mesmo?*

— *Não entendi sua pergunta. Se você se refere a morrer e acabar, a resposta é não, isso não ocorre. A continuação da vida é para todos. Sem exceção, todos somos sobreviventes. A morte do corpo físico é para muitos uma tragédia porque somos forçados a viver de forma diferente, a ter um novo recomeço. Por favor, não faça disso um drama! Poderia ser pior.*

— *Isso já compreendi! Poderia ser pior. Mas não quero continuar assim. Logo Eliete se mudará para o apartamento. E eu, como fico? Irei junto? Tenho medo. Em prédios moram muitas pessoas e deve ter também muitos*

UM NOVO RECOMEÇO

desencarnados. Não vou gostar de ficar preso no apartamento e com receio de sair. Não me atrai a ideia de ficar aqui. Gosto de Virgínia, minha nora, mas nunca convivi com ela. Nelsinho não para em casa. Meus netos são pequenos e não devo atrapalhá-los ficando perto deles. Na casa menor haverá novos moradores, os sogros de meu filho, conheço-os, mas nem somos amigos... Não será agradável ficar aqui convivendo com pessoas que não têm nada a ver comigo. Isso aqui será modificado, e estas modificações com certeza não me agradarão. Como são as coisas! Era minha casa, fiz o que queria, agora é de outros, e eles farão dela o que quiserem.

– A vida é assim mesmo! – André suspirou. – *Tudo se modifica, muda de mãos, de donos. Passamos pelo plano físico. Somos errantes. Mas o que você quer de mim? O que deseja?*

– Desejo fazer alguma coisa. Não estou suportando ficar ocioso. O que mais quero é trabalhar, ocupar meu tempo. Vi na clínica desencarnados sendo úteis. Quero ser também. Isto é difícil? Precisa ser muito especial para trabalhar como aqueles desencarnados que vimos ontem?

– Você – respondeu André – *faz perguntas muito difíceis. Mas penso que todos aqueles que trabalham auxiliando aprenderam e tiveram um começo. Os servidores que vimos na clínica são esforçados e começaram com pequenas tarefas. Você quer mesmo trabalhar? Tem certeza? Terá de cumprir horários, fazer o que foi lhe determinado bem-feito e...*

– Se puder me livrar do castigo da ociosidade, serei um esforçado trabalhador.

Vera Lúcia Marinzeck de Carvalho / Antônio Carlos

– *Tem gosto para tudo* – opinou André. – *Penso que posso ajudá-lo. Vou lhe explicar e você decidirá. Sei de um centro espírita onde as pessoas boas auxiliam aquelas que pedem. Lá, encarnados e desencarnados se unem para fazer caridade. Posso levá-lo na porta e você irá lá, mas sozinho. Não precisa ter medo. Devemos ser prudentes com os maus espíritos, mas, dos bons, não precisamos recear. Eles o auxiliarão, o levarão para um local onde só vivem espíritos bons e os que querem se melhorar. Poderá estudar, ser útil e trabalhar como deseja.*

– *Mas isso é o céu!* – exclamou Nelson.

– *Se isso é bom para você, então é o céu* – André riu.

– *Você somente me falou das vantagens. Não tem, como na Terra, no plano físico, os contras, ou seja, as desvantagens?*

– *Depende. Penso que, para você, as desvantagens deverão ser poucas. Onde os bons espíritos moram, tem ordem e disciplina, há regras e normas a serem seguidas. Uns veem nisso medidas excelentes e vivem muito bem, outros não se adaptam. Lá, com certeza, você não poderá ver sua família quando quiser. Para visitá-los, terá de pedir e obter permissão.*

– *Posso sentir muitas saudades, mas, para mim, isto não será empecilho. Sei que não posso mais viver com eles. Pertenço a outro mundo.*

– *Terá de trabalhar, mas, com certeza, você irá se adaptar bem a esse quesito.*

– *André, por favor, leve-me ao centro espírita. Tomara que eles me aceitem.*

– *Quanto a isso, fique descansado, eles costumam atender a todos os que pedem. Eliete e Zuleica vão jantar, vamos ficar perto, quero me alimentar. Depois levo você. Não sentirá mesmo falta daqui?*

– *Do que foi, talvez. Mas de como está e como ficará, penso que não.*

Nelson queria ir logo, não gostava de adiar o que tinha decidido, mas esperou André, que ficou perto de Zuleica e absorveu as energias dos alimentos.

"Meu Deus, não quero mais fazer isto. Quero aprender a me alimentar como desencarnado que agora sou."

– *E vai* – afirmou André. – *Terá com certeza muitas surpresas com os bons espíritos. Pronto! Acabamos. O jantar terminou. Vou levá-lo.*

Deu a mão ao amigo e volitaram. Pararam na calçada.

– *Do outro lado da rua é o centro espírita que lhe falei. Você está com sorte, hoje tem reunião. Observe o movimento: encarnados chegando e entrando, e, em frente à porta, um desencarnado recebendo os moradores do Além e atendendo a pedidos. Seja humilde, vá lá e peça ajuda àquele senhor que está na porta, diga que precisa de auxílio. Com certeza será convidado a entrar. Faça o que lhe for pedido, entre, observe tudo, mas seja educado e discreto.*

– *Você não irá comigo?*

– *Não vou, não quero o que eles têm para me oferecer* – respondeu André.

– *Pensei que ficaríamos juntos em algum lugar.*

– *Vamos nos despedir. Desejo que seja feliz!*

– *Posso abraçá-lo?* – Nelson indagou, mas não esperou pela resposta e abraçou o amigo. – *Você agiu com muita bondade comigo. Muito obrigado! Deus lhe pague! Fique bem!*

Nelson atravessou a rua, mas antes verificou se não estavam passando carros. Quando chegou à outra calçada, olhou para trás e viu que André tinha volitado. Aproximou-se da porta. O senhor desencarnado que André havia lhe mostrado sorriu, cumprimentando-o.

– *Boa noite! Seja bem-vindo. Quer entrar?*

– *Boa noite! Vim em busca de auxílio. Preciso de ajuda.*

– *Entre e se sente ali naquele lugar.*

Nelson entrou, a casa era simples e aconchegante. Dirigiu-se para o local indicado. Subiu uma escada e ficou acima de onde muitos encarnados se acomodavam.

"Que lugar de paz! Estou gostando", pensou ele e se emocionou.

Enxugou algumas lágrimas. Sentiu-se tranquilo para orar. Rezou primeiro as orações que sabia, decoradas, depois foi como estivesse conversando com Deus. Relaxou e se sentiu muito bem.

– *Com licença, posso sentar-me aqui?*

Nelson olhou para o senhor que falou, sorriu e encolheu as pernas para ele passar. Como desperto de um agradável torpor, prestou atenção na casa que o acolhera. Era um salão onde cerca de duzentas pessoas ouviam uma palestra de uma senhora de voz suave, que falava à frente. As cadeiras eram simples e todos estavam em silêncio, escutando-a com atenção. Onde ele estava era como um andar superior, com piso de vidro transparente, que era visto somente pelos desencarnados. Observou o andar em que estava e notou que havia também vários outros desencarnados. Muitos como ele, curiosos, olhando, outros atentos à palestra, e alguns aparentando estar alheios. Esforçou-se para prestar atenção na palestra e escutou:

UM NOVO RECOMEÇO

– Jesus disse: "Se alguém lhe bater sobre a face direita, apresente-lhe a outra". Ao orgulhoso, esta máxima parece uma covardia, porque não compreende que haja mais coragem em suportar um insulto do que em se vingar. Nesse ensinamento, Jesus condena a vingança. Quando o Mestre Nazareno fala para apresentar a outra face, Ele está nos ensinando que não é para retribuir o mal com o mal, que nós devemos aceitar com humildade tudo o que tende a rebaixar nosso orgulho. É mais glorioso ser ferido do que ferir, suportar uma injustiça do que cometê-la, ser enganado do que enganar. Só a fé na vida futura e na justiça de Deus, que não deixa jamais o mal impune, pode nos dar força para suportar com paciência os golpes dirigidos contra nossos interesses e nosso amor próprio. Vingança é um sentimento que nós não devemos possuir. Aquele que se vinga se iguala ao ofensor, comete erros, paralisa sua vida em razão da vingança. O que devemos fazer é perdoar de coração e seguir com nossa vida.

Com um "muito obrigada e boa-noite", a encarnada findou sua palestra.

– *Pena que cheguei atrasado* – disse o senhor que se sentou ao seu lado. – *O Sermão da Montanha é muito bonito. Essa palestrante dividiu este precioso ensinamento do Mestre Jesus em várias palestras. Você gostou?*

– *Sim, claro. Mas me senti tão bem aqui, com uma sensação tão agradável, que, ao orar, senti-me como que desligado do mundo. Vim aqui pela primeira vez. Morri, ou seja, desencarnei e fiquei perdido, vagando pelo meu lar. O senhor também veio em busca de auxílio?*

– *Alguns anos atrás vim aqui e pedi socorro. Agora venho ouvir as palestras, orar e ajudar como fui ajudado. Trabalho na casa, faço parte da equipe desencarnada que tenta "fazer o bem sem olhar a quem". Estava junto de companheiros fazendo um socorro, por isso cheguei atrasado.*

– Quem são as pessoas que aqui estão? – perguntou Nelson.

– *Acredito que somos todos irmãos que têm nomes, alegrias e dificuldades. Os encarnados que aqui vêm, a maioria, buscam conhecimentos; outros, consolo; e uns, auxílio. Os desencarnados que estão aqui, uns são como eu, trabalhadores da casa que sentem prazer em assistir às palestras, conversar depois com os amigos, trocar notícias e ideias. Outros são como aqueles ali –* o senhor mostrou uns vinte desencarnados sentados do outro lado –, *são abrigados do posto de socorro, que temos aqui no plano espiritual do centro espírita. E também temos alguns espíritos necessitados que aqui vieram em busca de socorro e outros que foram trazidos para uma orientação. Naquele canto, nenhum deles tem conhecimento de que mudou de plano.*

Nelson, naquele momento, sentiu vergonha de pedir ajuda. Suspirou e pensou: "*Não quero ser orgulhoso! Devo seguir os conselhos de André. Ser humilde para receber. Será que esse senhor ouviu meus pensamentos? Ele está tranquilo. Peço ou não peço? Já pedi quando entrei. Mas e se não pedir de novo e eles me convidarem a me retirar? O que farei? Para quem se acostumou a mandar é difícil rogar por ajuda. Ah, meu Deus!*

– *O senhor me auxilia? Não quero mais vagar* – Nelson falou rápido.

Realmente se esforçou para falar. Não se domina o orgulho de repente.

UM NOVO RECOMEÇO

– *Receberá, sim, o que nos pede. Aguarde aqui, vou conversar com nosso dirigente e já volto.*

Nelson receou não ser atendido. Aguardou, tentando permanecer calmo. Observou o local. Os encarnados foram saindo conversando. Viu uma senhora desencarnada, com certeza trabalhadora da casa, aproximar-se de uma mulher que estava no grupo que parecia estar alheio e a convidar para segui-la. A mulher se negou, ficou nervosa e falou em tom alto:

– *Não vou a lugar nenhum! Não a conheço! Não gosto de estranhos. Quero voltar com meu filho. Entramos aqui juntos e nos separaram. Quero ir embora com ele. Por favor, ajude-me a encontrá-lo. Não quero atrasá-lo. Ainda bem que meu filho veio de carro. Estou cansada e não quero caminhar.*

– *A senhora não quer ficar conosco?* – perguntou a trabalhadora. – *Será muito bem tratada. Cuidaremos da dor na sua perna.*

– *Aqui é um hospital? É a sala de espera? Não acredito. Meu filho pode ficar comigo? Não pode! A dor não é assim tão forte, com certeza passará com meus remédios. Não quero ficar aqui. Vou descer. Zé Marcelo!* – gritou. – *Espere-me, estou indo.*

Empurrou aqueles que estavam ao seu lado. A trabalhadora tentou segurá-la. A senhora começou a gritar e, de repente, aquietou-se e adormeceu. A trabalhadora pegou-a como se fosse uma criança e subiu com ela. Uma mulher, outra servidora do centro, que estava atrás de Nelson, percebendo-o assustado, explicou a ele:

– *Essa senhora, com certeza, não sabe que mudou de plano, está muito iludida. O filho não estava se sentindo*

*bem com a mãe perturbada ao seu lado, veio aqui em bus-
ca de alívio e receberá, porque essa senhora ficará conosco. Foi adormecida e levada a um confortável leito, onde
dormirá até a próxima reunião de orientação a desencarnados. E aí, por um intercâmbio mediúnico, poderá falar
e ser escutada pelos encarnados e receberá também escla-
recimentos sobre o fato de ter se mudado para o Além.
Muitos desencarnados somente percebem a mudança de
plano ao ficarem perto de um encarnado, quando notam
a diferença de corpo. Nós agora temos a roupagem perispiritual, e os que vivem no plano físico, o corpo carnal.
Porém, infelizmente, muitos não conseguem compreender
este recomeço da vida e se perturbam, iludem-se.*

*– Esse trabalho de orientação deve ser de grande im-
portância!* – exclamou Nelson.

*– Com certeza é! Espero que essa senhora entenda,
aceite sua mudança, o socorro, e não volte para perto do
filho.*

– Obrigado pelas informações.

Nelson tranquilizou-se. Comparou as reuniões: a que
assistiu no umbral e a que acontecia naquele centro
espírita.

"Aqui", pensou, *"todos são tratados com respeito e carinho. Nesta casa, basta se concentrar para receber paz e
tranquilidade. No umbral, todos são tratados com ironia,
indelicadeza e nem cheguei a ver os castigos impostos.
Aqui se recebe todo auxílio necessário, esclarecimento,
alimentos, são sanadas as dores e, o melhor e mais importante, são oferecidos amizade e alento. Como os dois lugares se diferem! Esta casa para mim é o céu e, lá no
umbral, o inferno. Embora comece a entender que esta é*

UM NOVO RECOMEÇO

uma comparação minha. Estou longe de ser merecedor de ajuda, mas não me adapto com os umbralinos, se tiver de viver com eles, sofrerei muito. Gostei daqui. Queria ser acolhido e desejo ser aprendiz para me tornar um ser melhor."

Voltou a prestar atenção no que acontecia. Os desencarnados que estavam abrigados no posto de socorro subiram e, com eles, foram os que lhe pareceram estar alheios. Sentiu-se aliviado quando o senhor que sentara ao seu lado retornou sorrindo.

– *Nelson, você irá para a colônia. Esta é uma ótima notícia!*

"Não disse meu nome a este homem", pensou ele, *"Como será que sabe? Será que me conhece?"*

– *Não o conhecia antes –* falou o senhor. – *Sei seu nome porque o dirigente da casa me contou, alguém deve ter dito a ele, assim como também intercedeu por você para que fosse levado à colônia, que é uma cidade do plano espiritual muito linda. Aqui está Isabel, a trabalhadora que o acompanhará até lá.*

O senhor lhe apresentou Isabel, uma senhora muito simpática, que explicou a Nelson:

– *Iremos de aeróbus, um veículo que usamos para ir a lugares mais longes. Conosco irão trabalhadores que moram lá, como eu, e que em dias de reunião no centro espírita vêm para auxiliar, e também alguns desencarnados que serão conduzidos para a colônia. Aguarde aqui, logo iremos.*

– *Obrigado!*

"Devo ir para um lugar muito bonito", pensou Nelson. *"Vou orar agradecendo. Deus, estou agradecido pelo*

auxílio. Prometo que vou aprender para, no futuro, auxiliar a outros."

Olhou novamente o salão, não havia mais nenhum encarnado, mas ali estavam muitos desencarnados conversando, uns dando orientações, outros recebendo. Nelson suspirou várias vezes e concluiu: *"Penso que minha continuação de vida começa agora. Recomeço a viver!".*

Grupos foram se separando, houve despedidas. Isabel aproximou-se dele, pegou em sua mão, subiram as escadas. Nelson viu o telhado da construção dos encarnados, depois dois andares da construção do plano espiritual e, terminando esta construção, um pátio: lá estava um veículo. Curioso, observou-o. Por comparação, concluiu que era uma mistura de ônibus com avião, mas sem asas e de cor suave.

– *Este é o aeróbus, entre por aqui* – disse Isabel.

Nelson quis observá-lo melhor, mas Isabel puxou-o e pediu:

– *Sente-se aqui, amigo. Logo iremos partir.*

Entraram uns vinte desencarnados e o veículo se movimentou suavemente, sem barulho, e voou numa velocidade incrível.

– *Meu pai!* – exclamou Nelson. – *Quantas surpresas! Ainda bem que não morremos de novo, senão nem sei o que seria de mim. Que veículo fantástico!*

Isabel sorriu e animou-o:

– *Nelson, você continuará a ter surpresas, mas estas serão somente boas. É o que espero e desejo. Chegaremos logo ao seu novo lar.*

Ele aguardou ansioso.

CAPÍTULO DEZESSEIS

Na colônia

O veículo parou, a porta se abriu e Nelson viu muitas luzes lá fora. Isabel o convidou para descer, e ele acompanhou-a emocionado, sentindo o coração acelerar. Ao descer do aerôbus, teve uma surpresa atrás da outra, porém, todas agradáveis.

– *Acabaram minhas decepções! Vida nova!* – exclamou contente.

Isabel o levou para um prédio, foi mostrando o local e explicando:

– *Esta colônia é de porte médio. Fica no espaço espiritual da cidade em que você viveu encarnado. Este prédio é o alojamento de uma grande escola. Aqui se aprende desde conhecimentos gerais até como se viver desencarnado, dando ênfase aos estudos evangélicos. Esse será seu quarto por um determinado tempo. Encontrará nessa mesa alguns alimentos, água, e, no armário, algumas roupas; não precisará de agasalhos, a temperatura é amena. Descanse bem: amanhã um trabalhador da escola o levará para conhecê-la e lhe dirá o que você pode estudar. Você poderá começar amanhã mesmo a frequentar as salas de aulas.*

Nelson não sabia como agradecer e disse "muito obrigado", estava realmente agradecido. Isabel se despediu e, ao ficar sozinho, ele olhou os alimentos e os saboreou.

– Deus, muito obrigado! É muito bom poder me alimentar sem necessitar ficar perto de alguém.

Estava entusiasmado, sentiu-se bem. Abriu o armário e viu várias roupas, todas simples e limpas. Trocou de roupa, colocou uma de dormir, depois deitou e adormeceu logo. Acordou com o som de batidas; deu um pulo e abriu a porta.

– Bom dia! Sou Geraldino, estou acordando-o e, em quinze minutos, virei buscá-lo para mostrar a escola. Higienize-se e troque de roupa. Vou levá-lo primeiro para se alimentar no refeitório.

Nelson fez rapidamente o que lhe foi recomendado. Arrumou a cama, o quarto e aguardou ansioso pelo seu cicerone, que, no horário marcado, veio buscá-lo. Com ele estavam mais cinco desencarnados. Depois das apresentações, Geraldino esclareceu:

– Vou mostrar a vocês alguns locais da escola. Amanhã se locomoverão sozinhos. São novatos, mas não se preocupem, encontrarão sempre alguém para auxiliá-los. No fim deste corredor é o refeitório. Vocês tomarão a primeira refeição.

UM NOVO RECOMEÇO

O salão era pequeno, e os seis, Nelson e os outros cinco, acomodaram-se numa mesa.

– *Geraldino, você não tomará o desjejum?* – perguntou um senhor.

– *Não me alimento mais, aprendi, assim como vocês também aprenderão a se nutrir de outra maneira* – respondeu o trabalhador da escola.

– *Será que é por isso* – comentou uma senhora – *que a escola é muito grande, e o refeitório, pequeno?*

– *Sim, o objetivo principal do estudo desta escola é ensinar a desencarnados a viver sem os reflexos do corpo carnal.*

– *Vou gostar!*

– *Quero aprender!*

Nelson escutou os comentários e observou os companheiros, três senhoras e dois homens, todos aparentando ter desencarnado com mais idade. Ousou perguntar:

– *Sei de jovens e crianças que desencarnaram, eles não vêm para cá?*

– *Vêm, sim* – esclareceu Geraldino. – *Temos lugares especiais para as crianças nas nossas cidades no plano espiritual, são os educandários. Os adolescentes se reúnem em locais apropriados para eles. Jovens gostam de outros jovens.*

Quando terminaram a refeição, Geraldino os levou para conhecer todo o prédio, viram as salas de aulas, os pátios internos e, num deles, um grupo aprendia a volitar. Foram à biblioteca, salas de palestras e de música. A escola era deveras grande. Quando terminaram, todos do grupo sabiam onde deveriam ir e o que fazer.

– *Como fico contente por aprender a ler e escrever!* – exclamou uma senhora.

– *E eu por volitar!* – falou um senhor.

– *Como engenheiro civil que fui* – comentou Nelson –, *logo que aprender a viver com este corpo que agora uso, vou pedir para fazer parte da equipe que constrói no plano espiritual.*

Já no período da tarde, Nelson foi assistir a uma aula. Entusiasmou-se com o que aprendeu. Organizou seus horários, fez muitos cursos e, quando não tinha aulas, estudava, ia à biblioteca e auxiliava no refeitório. E, por meio das excursões, conheceu a colônia, a cidade em que estava vivendo. De fato, foram boas e agradáveis surpresas. Achou tudo muito bonito e organizado. Meses depois, já volitava, alimentava-se pouco, as horas de sono foram diminuindo, e passou a trabalhar. Evitava pensar na família, mas orava muito por eles. Não queria incomodar, por isso não perguntava a ninguém sobre seus entes queridos e não se queixava da saudade que sentia. Estava gostando muito de estar ali. Querendo ser útil, estava sempre se oferecendo para fazer alguma coisa além da tarefa que lhe fora dada.

Numa tarde, um dos seus professores pediu a ele para ajudá-lo no trabalho que estava fazendo. Nelson, contente pelo convite, prestou atenção no que tinha de fazer e o executou da melhor forma que conseguiu. Quando terminaram, o professor e ele ficaram conversando.

– *Você gosta daqui?* – quis saber o professor.

– *Muito. Sou grato pela acolhida, pelo estudo e por ter trabalho. Desencarnei e vaguei pelo meu lar, decepcionei-me ao saber de algumas coisas e me entristeci por ficar ocioso. Mas uma coisa me intriga: é que eu... Desculpe-me, não ia me queixar, mas é que...*

UM NOVO RECOMEÇO

– Por favor, se quiser, pode falar. Com sua ajuda terminei minha tarefa antes do previsto, posso escutá-lo e talvez explicar o que o intriga.

– Penso, com quase certeza, que meu lugar quando desencarnei era no umbral. Não entendia nada dessa mudança de plano. Desencarnei de repente, sem preparo, sem conhecimento, e fiquei no meu antigo lar. Quanto mais penso, menos compreendo. Vi, no centro espírita onde fui pedir auxílio, desencarnados alheios, iludidos, pensando estar ainda encarnados. Já eu acordei, estranhei, pensei que estava sonhando ou que tinha enlouquecido, e comecei a desconfiar de que algo diferente acontecera comigo, então percebi que meu corpo carnal tinha perecido e que continuava vivo. Recebi ajuda de um desencarnado que vagava e que tinha alguns conhecimentos da mudança de plano. Tornamo-nos amigos, e eu aceitei a desencarnação.

– Não era para aceitar? – perguntou o professor. – Todos que encarnam terão de retornar ao plano espiritual.

– Acho que deveria ser assim, mas não é o que acontece com todos. Não pensava em fazer essa mudança de plano tão cedo. Pensava que teria muitos anos ainda no físico. Foi surpreendente.

– Por que você pensa que deveria ter ido para o umbral? – quis o professor saber.

– Infelizmente era arrogante, pensava que não precisava de ninguém e que nunca precisaria. Tinha orgulho de ser quem era, da minha inteligência, de meus conhecimentos, da família, de ter triplicado a herança que recebi, da facilidade que sempre tive para resolver problemas. Depois, fui rico. Jesus disse que era difícil um rico entrar no *reino de Deus. Falou que era mais fácil um camelo entrar num buraco de agulha.*

O professor sorriu e elucidou:

– *Jesus falou sobre isso a um jovem que lhe perguntou como fazer para alcançar a vida eterna e finalizou com os dizeres: "é mais fácil um camelo passar pelo buraco de uma agulha do que um rico entrar no reino dos céus". Três dos quatro evangelistas citaram este ensinamento: Mateus, 19:16 a 24; Lucas, 18:18 a 25; e Marcos, 10:17 a 25. Para entendermos melhor, é preciso saber que, para os hebreus, naquela época, a palavra "camelo" era empregada também para "cabo", cordas feitas do pelo deste animal usadas para amarrar navios. Assisti recentemente à palestra de um estudioso do Evangelho na qual falou que, no caminho estreito, na porta apertada e no fundo da agulha, não passa nenhum camelo carregado de objetos materiais. Este animal era, e é até hoje, útil para transportar bagagens. Era muito usado no tempo do Mestre Nazareno nas viagens como bagageiro. Jesus nos alerta para não nos onerarmos com a bagagem profana, com coisas materiais que pertencem ao plano físico, e para não querer transportá-la para o plano espiritual. O desejo de posse e o julgar ser dono nos sobrecarregam, fazendo-nos parecer um camelo carregado que não passa nem pela porta estreita nem no fundo de uma agulha. Com certeza, passamos pelo caminho estreito quando nosso jugo for suave, e o peso, leve. Assim, quando deixarmos toda a bagagem do ego, ficarmos desnudos de qualquer apego físico e nos tornarmos luz, então atravessaremos o fundo de qualquer agulha.*

– *Será então que não me perturbei porque perdoei?* – perguntou Nelson.

– *O maior beneficiado* – respondeu o professor – *é quem perdoa, porque se livra do rancor, do ódio e da mágoa. Estes sentimentos corroem aquele que os sentem, causando dores. Você quer saber o que aconteceu para você ter ficado equilibrado?*

– *Se isso é possível, quero sim.*

– *Vamos à sala de vídeos* – convidou o professor. – *Por um aparelho que lembra uma televisão dos encarnados, você poderá ver e saber de muitas coisas que ignora. Levo--o lá e lhe explico como se faz para usá-lo.*

Foram e, quando chegaram, o professor explicou:

– *Esse é um computador diferente, logo os encarnados poderão fazer uso de algo parecido. Muitas novidades surgirão no plano físico. Para começar, vamos ver quem orou por você quando desencarnou, quem desejou que ficasse bem.*

– *Por que isso?* – perguntou Nelson.

– *Tudo leva a crer que você foi sustentado por orações que o equilibraram. Vejamos.*

Nelson viu seu velório, pessoas orando e outras conversando. Reconheceu todas. As orações fizeram-no sentir sono e então pensou na sua cama e foi para lá. Viu a si mesmo, em espírito, no seu quarto a dormir. As imagens voltaram ao velório de seu corpo carnal. Viu familiares, empregados e amigos orarem por ele. Sua desencarnação foi sentida por muitos. Algumas lágrimas escorreram pelo seu rosto quando viu o caixão com seu corpo físico ser fechado e levado ao túmulo.

– *Depois* – o professor continuou lhe mostrando – *você recebeu muitas orações. Poderá ver as pessoas que mais oraram. Preces com gratidão produzem energias benéficas de grande auxílio para o ser a quem foram enviadas. Vejamos... Os abrigados do asilo, eles se reúnem uma vez por semana para rezar para as pessoas que os auxiliam. As amigas de sua esposa também oraram por você. Sua família, sua irmã e os seus empregados. Mas esse, talvez, tenha sido quem mais o beneficiou.*

Na tela apareceu uma mulher e duas adolescentes.

– *Conhece-as?* – indagou o professor.

– *Não me lembro. Penso que não.*

– *E agora?*

Um homem se juntou às três.

– *Sim, conheço-o, ele é meu empregado, digo, é da firma.*

– *Lembra o que fez a ele?* – perguntou o professor.

"*Será que fiz algo de errado a ele?*", pensou Nelson preocupado. "*Não devo ter feito, senão eles não rezariam por mim. Será que foi por tê-lo ajudado aquela vez?*"

– *Sim, foi* – o professor ouviu seus pensamentos. – *Foram orações de gratidão. Lembra o que fez a ele?*

– *Sim, recordo-me* – respondeu Nelson. – *Ele é um bom funcionário, trabalha no almoxarifado. Uma tarde, quando saía da firma, ele me esperava. Tive de parar o carro para não atropelá-lo, pois ficou na frente. Quando o vi, percebi logo que estava com problemas. Quando perguntei o que estava acontecendo, esse moço chorou. Desliguei o carro, desci e pedi para me contar o que o estava preocupando. Disse que estava faltando muito ao trabalho e estava com medo de ser despedido. Como insisti, ele me contou que tinha duas filhas pequenas e que uma delas estava muito doente, necessitava fazer uma cirurgia muito*

UM NOVO RECOMEÇO

cara na perna direita e, se não fizesse, corria o risco de tê-
-la amputada.

– E aí, o que você fez? – indagou o professor.

– Voltei com ele à firma, pedi a minha secretária para
não descontar as faltas dele e avisei que ele ia faltar mais
vezes. Telefonei para um médico, meu amigo, pedi para
atender a menina e paguei a cirurgia e o tratamento. Ha-
via me esquecido deste fato. Ajudei alguns empregados.
Estou surpreso!

– Por que está surpreso?

– Quando esse empregado veio me agradecer, trouxe-
-me uma cesta de doces, que eu dei logo que cheguei em
casa para uma empregada. Recebi muitos "obrigados" e
"Deus lhe pague" que me eram indiferentes. Surpreso?
Sim, e sabe por quê? Nunca pensei, orgulhoso que sou,
que um empregado pudesse me retribuir um favor, que
pudesse me ajudar. Eu, um empresário, tendo de tudo, re-
ceber algo de um subalterno? Como um empregado me
retribuiria um favor? Agora sou eu o grato. Desencarnei e
não me perturbei, não demorei para entender que havia
mudado de plano porque fui sustentado por orações.
Como tenho de aprender!

Nelson chorou, mas continuou vendo a tela. Viu as
três, mãe e filhas, orarem por ele e pedirem à mãe e avó
desencarnada para velá-lo. E foram atendidas. Admirado, viu Isabel, a senhora que conheceu no centro espírita e que havia lhe trazido à colônia, ir a sua ex-casa
terrena pedir para ele orar, dar-lhe passes (agora sabia
que passes são doações de energias) e proteger a mora-
da para que não entrasse nenhum desencarnado
mal-intencionado.

225

– *Aquela senhora, a Isabel, ajudou-me sem eu vê-la. Por que não consegui enxergá-la?*

– *Isabel é uma moradora da colônia dedicada e trabalhadora. Quando a filha, as netas e até o genro pediram por você, ela pôde atendê-los porque existiu um ato bondoso de sua parte e sincera gratidão dos pedintes. Isabel obteve permissão somente para protegê-lo e incentivá-lo a ter bons pensamentos e a orar. Cabia a você pedir auxílio. Você não a viu porque estava vibrando diferente, conseguia ver, naquele momento, desencarnados como você, os maus e os encarnados. Isabel tinha como fazer você vê-la, mas preferiu ficar invisível com receio de assustá-lo.*

– *Será que André viu Isabel? Ele não comentou nada.*

– *Não* – respondeu o professor. – *Seu amigo também não conseguiu vê-la e pelos mesmos motivos. Mas Isabel pôde intuí-lo.*

– *Foi por isso que ele se surpreendia com as respostas que me dava.*

– *Isso foi bom, seu amigo aprendeu um pouco mais.*

– *Agradeci Isabel* – falou Nelson – *na noite em que me trouxe à colônia. Mas não sabia da extensão do auxílio que recebi dela. Quero agradecê-la novamente. Agora compreendo o porquê de não ter sido atraído para o umbral. Porque, com sinceridade, era o local merecido por mim.*

– *Na espiritualidade não se tem "jeitinho". Ficou onde merecia. Você reconhece suas deficiências, isto é bom, mas também deve lembrar que fez boas obras. Podemos sempre colocar na balança simbólica da nossa consciência nossos atos bons e maus. Um dos pratos normalmente se sobressai, porém os atos ruins não anulam as boas ações. Acontece o contrário, de as boas ações anularem as más. Você fez o bem, algumas obras por orgulho, podia fazer e fez, tanto que nunca pensou em receber o retorno porque você não precisava, ainda mais de um simples trabalhador, de um empregado seu. Mas foi isso o que ocorreu.*

– Sabe o que recebi de mais precioso? – indagou Nelson. *– Mais do que ser amparado e socorrido? A lição de humildade e de gratidão. Onde posso encontrar Isabel?*

O professor lhe deu a informação. Ele agradeceu e foi ao local onde ela estava. Encontrou-a atarefada, mas recebeu uma calorosa acolhida.

– Isabel, muito obrigado. Soube hoje o que você fez por mim. Estou muito grato.

– Por nada. Agora que sabe, agradeço-o também. Agiu com bondade com meu genro. Alegro-me por eles terem sido gratos. A gratidão é sinal de amor.

Abraçaram-se.

Nelson voltou para seu quarto. Sentiu-se em paz. Fez um propósito de se esforçar para melhorar, estudar bastante e trabalhar muito.

Cumpriu o prometido. Logo acabou seu curso e planejou cursar outros. Foi convidado a morar com outros desencarnados. Gostou demais da casa. Tinha seu quarto, seu espaço. Ali se respeitavam e todos contribuíam para o lar estar em ordem.

Numa tarde, ao chegar em casa, encontrou quatro dos moradores, Lúcio, Vicente, Júlio e Régis trabalhando no jardim.

– Posso ajudá-los? – perguntou Nelson. *– Não entendo nada de jardinagem, mas posso aprender.*

Com as explicações dadas, o grupo, conversando, foi trabalhar: removiam a terra, acertavam os canteiros etc.

– *Entristeço-me* – disse Lúcio – *todas as vezes que penso que saí daqui quando fui socorrido e voltei ao meu ex-lar terreno.*

– *Por que fez isso?* – Nelson quis saber.

– *Desencarnei e me perturbei com a mudança de plano. Vaguei pelo meu lar e pelo prédio onde trabalhei por muitos anos. Sofri e incomodei familiares e amigos. Uma moça que tinha sido minha colega de trabalho foi a um centro espírita e pediu por mim. Não entendi como fui para lá. Explicaram-me depois que uma equipe de trabalhadores desencarnados deste centro espírita foi me buscar, volitaram comigo e eu nem percebi. Tive de receber orientação através de um médium e chorei muito ao ter certeza de que havia vindo para o Além. Estava iludido, mas, mesmo na ilusão, sabia que algo diferente acontecia comigo. Compreendi, pelas palavras do doutrinador, e me comparei com o médium encarnado, que vestia um corpo diferente. Aliviado, agradecido, esperançoso, vim para cá. Porém, infelizmente o entusiasmo passou e senti muita saudades, falta de tudo a que estava acostumado. Saí sem permissão e voltei para o meu ex-lar. Aí tive muitas decepções, arrependi-me por ter saído daqui e quis voltar, mas não sabia como fazê-lo. Lembrei-me do centro espírita, fui lá e pedi socorro. E aqui estou, desta vez diferente. Não queria ter desencarnado, preferia estar no plano físico, porém me esforcei para me adaptar e tento ser útil.*

– *Cada um de nós* – falou Vicente – *tem histórias para contar, de nossas vidas, de nossas desencarnações e, principalmente, do que nos sucedeu depois. A desencarnação* não é castigo, mas alguns espíritos pensam ser porque, não querendo mudar de plano, têm dificuldade na adaptação e sofrem. Poucos são os prudentes que se preparam para a mudança e se maravilham com esta viagem.

– Minha desencarnação foi complicada – contou Júlio. – Fiz minha mudança de plano há muitos anos. Quando encarnado, recebi a reação de uma grande imprudência que havia feito na minha existência anterior. Soube ter sido uma reação há pouco tempo. Na época, julguei ser uma grande injustiça, revoltei-me, jurei me vingar e me vinguei.

Júlio suspirou e se calou. Nelson escutava-o atento e pediu:

– Por favor, conte-nos o que aconteceu.

– Era um pequeno sitiante, vizinho de dois fazendeiros poderosos. Eu não tinha escravos, trabalhávamos na terra, minha esposa e eu, depois meu menino mais velho passou a me ajudar. Escravos fujões pediam para se esconder em minhas terras, e, embora com medo, acolhia-os. Fui advertido pelos dois fazendeiros, mas, como continuei, fomos mortos, assassinados, meu filho e eu, quando trabalhávamos na lavoura. Pressionada, minha esposa vendeu o sítio e foi embora dali com minhas filhas. Revoltado, com ódio, fui para o umbral. Meu filho perdoou, foi socorrido e foi, muitas vezes, me ver e pedir para perdoar também. Não quis, e, um dia, ele despediu-se de mim; não voltaria mais para me ver. Quando melhorei de minha perturbação, fui atrás dos meus assassinos, soube que haviam desencarnado e não consegui encontrá-los. Fiquei vagando, aprendi a obsediar e aguardei a ocasião para me vingar. Anos se passaram. Encontrei os dois antigos fazendeiros reencarnados, um deles era deficiente mental e físico, havia nascido numa família pobre e sofria muito. Ao vê-lo, regojizei-me, deste não precisaria me vingar. Mas encontrei o outro, estava casado e com filhos, tinha três garotos. Naquela encarnação, ele tinha de trabalhar, e muito, para sustentar a família. Comecei a atormentá-lo. Pensei que ele, na sua existência anterior, não havia vacilado em matar a mim e a um jovem inocente. Resolvi me vingar nos filhos dele. O mais velho, com quinze anos, aceitou-me, atendia-me mais que os outros. Usei de todo meu conhecimento de anos vagando e tudo fiz para ele experimentar drogas e se viciar. O antigo fazendeiro passou a se embriagar, e o filho, a usar drogas. O lar do meu desafeto tornou-se um local de sofrimento. A esposa e mãe procurou ajuda num centro espírita. Não consegui impedi-la de ir e, quando ela foi, escondi-me, mas não adiantou. Senti como se cochilasse e acordei no centro espírita. Percebi que ali eram os trabalhadores do bem que mandavam. Ameacei, tentei agredi-los e não consegui sair de lá nem me movimentar. Gritei, xinguei e, de repente, não consegui mais falar. Imobilizado, tive de ouvir a palestra de um encarnado e, depois, um desencarnado falou a nós, os necessitados que ali estavam, sobre as nossas condições e a necessidade de nos melhorarmos, oferecendo auxílio. Alguns, ao ouvi-lo, choraram arrependidos e foram levados para outro local. Eu estava nervoso, não gostei nada de estar ali, fiquei com outros para conversar com os encarnados numa sessão de orientação, desobsessão. Olhei tudo curioso e pensava como conseguiria me safar.

Júlio fez uma pausa e, percebendo os amigos atentos, continuou:

UM NOVO RECOMEÇO

– Ao ficar perto de um homem, o médium, consegui falar, porém, continuei imobilizado. Xinguei, mas o encarnado, educado, não repetiu os palavrões. Um senhor desencarnado, o orientador daquela casa, olhou-me com carinho, então falei da minha revolta e me assustei, o médium repetia quase que fielmente o que eu falava. Uma senhora encarnada conversou comigo. Nada me comovia. Contei o que fizeram comigo, e a senhora, a doutrinadora, falou-me da possibilidade de ter recebido a reação de atos indevidos. Não me importava com o que havia feito, mas sim com o que haviam feito comigo. Nada do que a doutrinadora falava me comovia. Então foi ligado na minha frente um aparelho, uma tela fina e pequena, na qual vi algumas imagens. Vi meu filho, o que desencarnara comigo, reencarnado. Vi-o neném, menino, e fiquei pasmo, paralisado, ele era o jovem que eu havia induzido ao vício. Meu rebento fora ser filho de seu antigo assassino! Não queria acreditar: cego pela vingança, querendo que meu desafeto sofresse, atingi seu filho, o garoto que fora na encarnação passada meu afeto querido! Pensava estar me vingando também por ele e me vinguei nele. Senti que aquilo era verdade e chorei desesperado. Fui consolado e pedi socorro. Fiquei num posto de socorro, angustiei-me muito pelo que havia feito e só pensava em ajudar aquele garoto. Compreendi que, para meu filho ficar bem, era necessário a família dele ficar também, inclusive o pai. Melhorei, tenho me esforçado para ser útil, vim para a colônia estudar e meu maior sonho é poder reparar meus atos cometidos por conta da vingança. Oro muito para aquela família. O antigo fazendeiro ainda tem se embriagado, mas bem menos. A esposa passou a ser espírita e isso os tem auxiliado. Esse ser, que amo e que imprudentemente prejudiquei, sofreu e sofre, lutou e luta contra o vício. Está há dois anos sem se drogar, voltou a estudar, trabalha e se esforça para não ter uma recaída.

– Nossa! – exclamou Vicente. – Como é perigoso se vingar!

– Muitas vezes é assim que acontece – falou Júlio –, o vingador sofre junto. A vingança não atinge somente uma pessoa. Meu filho, querendo se reconciliar, encarnou como rebento de seu assassino e tudo seguia relativamente bem até minha interferência. Fiz sofrer meu desafeto, mas também a sua família, e prejudiquei aquele que amava. Não se anula um ato somente pela vontade. Fiz o estrago, arrependi-me, mas o que fiz está feito e não tem como anular. Disseram-me aqui que a esposa recebia reações e que está agindo bem se tornando religiosa. Meu filho também tinha dívidas a pagar, ou seja, reações a receber. Ele me aceitou porque me amava. Se tivesse perdoado, nada disso teria acontecido.

– Como você reconheceu seu desafeto e não percebeu o filho reencarnado que amava? – perguntou Nelson.

– Meu foco – respondeu Júlio – principal era a vingança. É triste admitir, mas em vez de continuar amando, preferi odiar, e esse sentimento era o mais forte em mim. Em vez de me preocupar com minha esposa e filhas e querer ajudá-las, escolhi erroneamente castigar. Assim, reconheci o desafeto porque era em quem pensava.

Júlio enxugou algumas lágrimas e foi abraçado. Nelson não contava a ninguém o que tinha lhe acontecido. Reconheceu, naquele momento, que não o fizera por orgulho. Então contou, os amigos o escutaram e, quando terminou, elogiaram-no.

UM NOVO RECOMEÇO

– *Agiu certo perdoando! Parabéns! É assim que se deve agir!* – exclamou Júlio.

– *Foi corajoso!* – opinou Vicente. – *Sua atitude o levou a ter um bom e novo recomeço.*

– *Não contei a ninguém por vergonha!* – exclamou Nelson.

– *Talvez* – falou Régis – *por pensar que pudesse ouvir algum comentário irônico. Mas isso não acontece aqui. Eu quis me vingar. Fui assaltado quando estava trabalhando com minha moto e atiraram em mim. Desencarnei, fiquei revoltado, perturbado e sofri muito. Minha família também sofreu, era noivo e ia me casar. Minha avó paterna, desencarnada, foi quem me ajudou. Minha mãe ganhou e leu um livro espírita que abordava e explicava a desencarnação; ela foi a primeira a se consolar e pediu aos familiares para lerem a abençoada obra. Unidos, pensando diferente, procuraram um centro espírita onde foram bem acolhidos e orientados. Perdoaram o assassino e pediram para eu perdoar também. Ajudaram-me almejando que estivesse bem e feliz. Desejavam tanto que eu comecei a ficar bem. A revolta passou, a mágoa foi diminuindo, não desejei mais me vingar e, quando aceitei minha desencarnação, tive um novo recomeço e consegui ter paz. Vovó me trouxe para a colônia e estou bem, embora preferisse estar encarnado.*

– *Nossa! O tempo passou rápido. Está na hora de ir para a aula!* – exclamou Vicente.

– *A minha começa daqui a quinze minutos* – falou Nelson. – *Vou me arrumar.*

A conversa fez bem a todos eles. Voltaram aos seus afazeres.

CAPÍTULO
DEZESSETE

Um novo recomeço

Numa aula, tínhamos por tarefa ler um livro e depois comentá-lo. Izildinha falou sobre um que os encarnados também dispõe: *Dicionário da alma*, de autores diversos, psicografado por Francisco Cândido Xavier. E a frase que ela destacou como sendo de maior importância foi: "*Recomeçar é um privilégio sublime do homem de boa vontade*". E, depois da aula, Nelson ficou no pátio da escola pensando na frase que havia ouvido.

"*Tive muitos começos*", concluiu ele. "*Conhecendo a lei da reencarnação, compreendi o imenso amor de Deus para conosco. Começamos no plano físico, recomeçamos no espiritual, é um vaivém. Porém, este meu recomeço está sendo diferente, estou tendo a oportunidade de fazê-lo com conhecimento. Esta mudança de plano é, para mim, um novo recomeço e uma grande oportunidade!"*

Quando chegou em casa, viu Luíza muito feliz. Ela estava acompanhada por um simpático casal e os apresentou:

– Nelson, este é meu pai, desencarnado antes de mim, e esta é minha mãezinha, chegada recentemente ao plano espiritual.

Cumprimentaram-se e ficaram conversando por meia hora. Depois, Nelson foi para o seu quarto. Gostava de seu espaço, que era mobiliado por uma cama, uma poltrona, uma escrivaninha com uma cadeira e um pequeno armário. Sentou-se na poltrona. Tinha pegado um livro para ler, mas o deixou na escrivaninha e lembrou-se de todos da família.

"Sei de todos, não voltei para revê-los, aguardo permissão. Mas os vi pela tela e assim sei deles. Eliete gosta do apartamento, está bem de saúde, e Zuleica continua com ela. Luciana, minha filha, teve um lindo menino. Nelsinho tem administrado bem a firma. Alex saiu da clínica quando o médico lhe deu alta, ficou dois meses com Luciana, mas está inseguro e não sabe o que fazer, ora pensa em estudar, ora em trabalhar. Soube do que o irmão lhe fez e não tomou nenhuma atitude, mas chorou muito e ficou sentido por a mãe ter consentido. Sente-se culpado e indigno, conversa pouco e tem tomado bebidas alcoólicas. Preocupo-me e oro muito por ele. Quero que Alex se equilibre e não volte ao vício. Mas e meus pais? Não os vi nem sei deles. Onde estarão? Por que ainda não me encontrei com eles?"

Voltou à sala e perguntou a Luíza:

– Como você soube de seus pais?

– Sempre me preocupei com eles. E, quando queremos saber de uma pessoa, conseguimos, é só ir ao Departamento de Informações.

– *Eu* – opinou Adélia, que estava também na sala –, *assim que compreendi que havia desencarnado, quis saber de todos os que amava e que tinham mudado de plano antes de mim. Minha mãe ajudou-me na adaptação, meu pai desencarnou muitos anos antes de mim e já tinha reencarnado. Se você quiser saber de seus pais, peça informações.*

– *Será que não sei deles por ter sido adotivo?*

– *Não foi criado como filho?* – indagou Luíza. – *Não deve ser por esse motivo. Você quer saber de seus pais biológicos ou dos adotivos?*

– *Daqueles que conheço como pais, os que me adotaram* – respondeu Nelson. – *Estou pensando em ir agora ao departamento, tenho seis horas livres.*

Os companheiros da casa o apoiaram e ele foi. Nelson conhecia o departamento. Chegando lá dirigiu-se ao setor onde esperava receber ajuda. Um moço o atendeu, escutou-o e afirmou:

– *Consigo isso para você. Gosto muito de informática, os encarnados se assustariam com os aparelhos de que dispomos aqui.*

Minutos depois, o jovem lhe deu a notícia:

– *Sua mãe, Catarina, está num posto de socorro localizado no umbral. A informação é de que ela trabalha lá. O senhor Antônio, seu pai, está vagando.*

– *Será que posso visitá-los? Talvez ajudar meu pai?*

– *Você terá de pedir autorização* – respondeu o moço. – *Ver sua mãe com certeza será mais fácil. Converse com o nosso orientador. Vá ao setor sete e fique na fila.*

Nelson foi, esperou quinze minutos, e o orientador o atendeu. Explicou, falando rapidamente, o seu pedido.

– *Poderá ver sua mãe. Depois de amanhã, uma equipe de socorristas daqui da colônia irá ao posto de socorro. Poderá ir junto. É uma excursão de doze horas. Avise que faltará no seu trabalho, em seu estudo, e poderá ir junto. Depois volte aqui e o ajudaremos a visitar seu pai.*

Nelson ficou ansioso, acertou todos os detalhes e, antes do horário marcado, aguardava a saída da equipe. Segurava com força um buquê de flores que Luíza havia colhido do jardim da casa. Foram de aeróbus. Eram quinze trabalhadores que participariam de um socorro a um determinado local no umbral. Minutos depois, pararam no pátio do posto de socorro. E ele, assim que desceu, viu a mãe esperando-o. Correu para abraçá-la.

– *Mamãe, que saudades! Como a senhora está passando?*

– *Filho! Que bom revê-lo! Estou bem. Faz anos que estou neste lar bendito. Aqui aprendi, aprendo, muito. Como você está?*

– *Agora estou bem. Estou abrigado numa colônia, adaptei-me e aprendo também. Mamãe, a senhora não sabia que havia desencarnado?* – perguntou Nelson.

– *Sim, sabia.*

– *Não pôde ir me ver? Não teve permissão?*

– *Filho, preferi não vê-lo* – respondeu Catarina.

– *Por quê? Não sentiu saudades de mim?*

– *Antônio contou a você, não foi? Você não é meu filho.*

– *A senhora é minha mãe! Papai deixou uma carta contando. A senhora não se sente como minha mãe?*

– *Esqueci que você não havia sido gerado no meu seio. Amei-o muito. Mas você não foi bom filho e...*

Catarina parou de falar. Nelson sentiu que a mãe estava sentida, deu-lhe as flores e falou:

– *Desculpe-me, mamãe! Fale-me o que sente, por favor!*

– *Você sempre preferiu seu pai. Antônio queria lhe dizer a verdade, mas o fiz jurar que não contaria. Ele escreveu a carta. E você, ao saber, não me enviou nem um pensamento de gratidão ou carinho. Foi saber de sua irmã. Ficava sempre do lado de Eliete quando discutíamos. Eu, sua mãe, sempre fui preterida. Você sabia que Antônio tinha amantes e o ajudava nas suas aventuras. Nem sofreu quando desencarnei. Meu corpo morreu e fiquei vagando pela casa. Quis castigar Eliete, aquela interesseira. Sofri muito, cansei, então roguei por ajuda, e minha mãe veio me ajudar. Trouxe-me para cá. Gostei daqui e fiquei.*

– *Mamãe, perdoe-me! Se não fui grato, sou agora. Criou-me com tanto carinho! Não conhecendo a verdade, pensava que me sufocava com tanta proteção. Talvez por trabalharmos juntos, dava-me melhor com papai. Não pensava em magoá-la quando escondia as amantes do papai, queria poupá-la. Naquela época, não julgava o que papai fazia errado, eu também tinha amantes. Fui realmente ingrato! Mas agora estou aqui para dizer que, além de grato, eu a amo!*

Catarina chorou, abraçou e beijou o filho. Ficaram por vários minutos abraçadinhos.

– *Venha, vou apresentá-lo aos meus amigos e lhe mostrar o posto.*

E em cada apresentação, Nelson elogiava a mãe.

– *Mamãe é a melhor do mundo! Ela é um encanto! Amo-a demais!*

UM NOVO RECOMEÇO

Nelson entendeu que não mudamos da água para o vinho ou vice-versa de repente, ou pelo fato de termos mudado de plano. Mesmo sua mãe, tendo conhecimentos da desencarnação, trabalhando com dedicação num posto localizado no umbral, tinha ainda os mesmos sentimentos e sentia tristeza por ter sido preterida.

"*Deveria*", pensou Nelson, "*ter escutado Eliete e me mudado para outra casa, distante da dos meus pais. As duas não se entendiam, e ambas têm queixas de mim. Mamãe tem razão. Quando soube que fora adotado, em vez de ser mais grato ainda ao amor filial, tive outras preocupações. Não fui bom filho! Uma coisa é certa: amo mamãe!*"

Ficou pertinho dela, abraçou-a e a beijou muitas vezes.

– *Nunca pensei que você, depois de desencarnar, se tornaria bom filho!* – exclamou Catarina. – *Se tivesse pensado, teria ido lhe ver.*

Combinaram outros encontros. Catarina poderia visitá-lo, e ele, no seu horário livre, a ela.

– *Mamãe, a senhora sabe do papai?*

– *Quando eu vagava pelo meu ex-lar quis separar Antônio de sua amante. Pedi a você e me escutou. Equivocamo-nos. Eu não deveria ter interferido nem você me atendido. Naquela época, estava muito magoada e foi aqui, trabalhando e vendo muitas infelicidades, que entendi que todos nós erramos, por isso devemos ser complacentes com os erros alheios. Mas entender e pôr em prática requer um trabalho grande com nós mesmos.*

– *Sabe do papai?* – Nelson insistiu.

– *Ele está junto de sua última amante, a Lourdes. Eles se amam. Está...*

Catarina disse o local e finalizou o assunto:

– *Não tenho mais mágoas de seu pai. Já fui tentar socorrê-lo, ele não me aceitou. Estamos separados realmente. Fomos casados somente enquanto estávamos encarnados, porque nossa relação não foi de amor. Se você quiser, meu filho, tente auxiliá-lo.* – Fez uma pausa e completou: – *Procurei saber de seus pais biológicos, sua mãe está reencarnada, e seu pai ainda se encontra no físico, está velho e mora num asilo.*

Nelson não se interessou pelos pais biológicos, não conviveu com eles, não lhes tinha afeto.

Foram doze horas muito agradáveis ao lado da mãe. Entenderam-se, desculparam-se. O reencontro foi muito bom e proveitoso para ambos. Nelson, no outro dia, foi ao Departamento de Informações para agradecer e pedir novamente para ver o pai. Obteve permissão para visitá-lo e iria com um orientador. No dia marcado, foram da colônia até um centro espírita, de aeróbus, e depois volitaram até o local onde o senhor Antônio estava.

Nelson observou o local. Era uma casa pequena, mas muito arrumada. Viu a senhora, a mulher que fora amante de seu pai, terminar de lavar a louça, estava pronta para ir trabalhar. Ela olhou no relógio e exclamou:

– Hoje não posso me atrasar! Tenho reunião às nove horas. Ainda bem que tenho um bom emprego. Somente o trabalho me distrai.

Nelson viu seu pai olhando-a e, quando Lourdes pegou a bolsa para sair, o senhor Antônio aproximou-se dela, abraçou-a, mas, como acontece nestes atos, seus braços passaram por ela, e ele sussurrou:

– *Vá em paz, querida! Estarei esperando-a.*

– *Papai não me viu* – falou Nelson ao seu orientador.

– *Você agora vibra em sintonia diferente, seu pai o verá se pensar em como era encarnado.*

– *Antes, gostaria de entender a situação dos dois. Sabe me explicar?*

– *Penso que os dois são apaixonados, gostam-se, mas estão longe de conhecer o amor. Antônio fica na casa com ela. Com certeza, quando o corpo físico de Lourdes adormece, ela se afasta do seu envoltório carnal, e os dois se encontram.*

– *Isso não é obsessão?* – perguntou Nelson.

– *Sim. Embora o senhor Antônio pense não estar fazendo mal a ela e queira o seu bem, está prejudicando-a. Eles estão trocando energias, e Lourdes está adoecendo. Neste canto da pia estão vários remédios que ela está tomando. O corpo físico é frágil e adoece, principalmente quando a matéria, pelos anos, envelhece. Mas, quando uma pessoa é vampirizada, fica mais fragilizada.*

– *Pelo visto, ela aceita essa situação.*

– *Sim* – continuou o orientador a esclarecê-lo. – *Vemos aqui dois seres sintonizados indevidamente.*

– *Uma obsessão dupla! Um obsedia o outro. Vou pensar em como era encarnado para papai me ver.*

– *O senhor Antônio não me verá, mas você continuará me vendo. Fale comigo se precisar em pensamento, eu responderei, e somente você me ouvirá.*

Nelson se concentrou, pensou nele quando estava encarnado.

– *Nelson! Filho! O que faz aqui?* – O senhor Antônio o viu e ficou surpreso.

– *Vim visitá-lo* – respondeu Nelson, abraçando-o.

– Ufa! Até que enfim alguém consegue me abraçar. Não me aperte tanto. Você morreu?

– Sim, desencarnei. Quis saber do senhor e vim vê-lo.

– Você está bem? – perguntou o senhor Antônio.

– Sim, estou. Desencarnei e fiquei lá em casa. Aí quis viver com dignidade, pedi ajuda e hoje estou bem, vivendo entre outros desencarnados. Papai, por que está aqui?

– Você está manso. O que houve? A morte do seu corpo o modificou? Deixou de ser mandão?

– Compreendi que era arrogante e estou tentando me modificar.

– Sempre o amei! – exclamou o senhor Antônio e suspirou. – Catarina não me deixou educá-lo melhor. Era nosso filho único. Prometi a ela não lhe contar que era adotivo, jurei e cumpri. Escrevi aquela carta na intenção de lhe mostrar que não tinha motivos para ser tão orgulhoso. Deixei-o até conduzir minha vida. Quando você percebeu minha intenção de ficar com a Lourdes, conseguiu nos separar. Com a desculpa de que eu necessitava descansar, você passou todos nossos bens para o seu nome. Lourdes achou ruim, e então você me convenceu de que ela queria o meu dinheiro. Separou-me da mulher de minha vida. Quando morri, perturbei-me e fui atraído para perto dela porque Lourdes orava por mim.

– Desculpe-me, papai. Perdoe-me!

– Puxa, você mudou mesmo! – exclamou o senhor Antônio surpreso.

– Somente agora percebo que fui mandão e resolvia os meus problemas e os de todos sem sequer escutar opinião dos envolvidos. Deveria tê-lo escutado.

– Fiz o que você decidiu! – lamentou o senhor Antônio.

UM NOVO RECOMEÇO

– *Nelson* – disse o orientador –, *fale a seu pai sobre a responsabilidade dele nos acontecimentos. É mais fácil culpar outras pessoas pelo que fizemos ou por termos agido de uma maneira do que assumir que erramos.*

– *Papai* – falou Nelson –, *aprendi com o senhor a trabalhar, a agir, era meu exemplo. Decidi, sim, muitas coisas, mas não o forcei a nada. Se não quisesse, poderia muito bem ter dito "não". Poderia ter se rebelado. Não o fez. Se aceitou, a culpa é sua e não minha.*

– *Filho ingrato! Ainda bem que escrevi aquela carta. Não é nada meu.*

– *Sou seu filho! Sou!* – Nelson alterou-se.

Tentou se acalmar, pediu com o olhar ajuda ao orientador, e este o aconselhou:

– *Seja sincero com ele, diga o porquê de ter vindo aqui.*

– *Nunca quis ter outro pai* – continuou Nelson falando. – *Amo o senhor! Sempre tentei agradá-lo e não decepcioná-lo. Aprendi a trabalhar, imitei-o em tudo. Fui, como o senhor, bom patrão e tive amantes. Multipliquei a fortuna e a vigiei, não queria reparti-la com intrusas gananciosas. Preocupei-me com Lourdes, pensei que ela fosse interesseira, mas errei em meu julgamento, agora sei que ela o amava. Papai, com sinceridade, o senhor, naquela época, a amava? Desistiu tão fácil dela!*

– *Gostava dela mais do que as outras. Penso que amei mesmo foi Catarina. Agora entendo que não precisava traí-la, mas o fazia. Penso que, como eu, você traía Eliete somente para se distrair, dar uma de machão, mostrar aos amigos que era o bom. Lourdes se ofendeu quando duvidei do seu amor. Afastou-se pensando que eu iria atrás dela. E eu não fui porque não tinha mais nada em meu* nome. Tinha certeza de que ela havia se afastado de mim por esse motivo.

– Entenda, papai, todos nós somos culpados, assim como também cada um de nós tem motivos para justificar seus atos. Eu, de fato, pensei estar afastando do senhor uma interesseira que somente servia para amante. Também pensei em privá-lo do trabalho. Eu pensei, concluí, e esse foi o meu maior erro. Deveria ter lhe dado opção de escolha. Porém, era o senhor que decidia e decidiu.

– Nisso você tem razão – concordou o senhor Antônio. – Culpei-o mais para me desculpar. Aceitei porque quis.

– Papai, não é bom viver assim como o senhor está vivendo. Será que não percebeu que, não sabendo viver como desencarnado, está se alimentando das energias de Lourdes e ela está enfraquecida? Vim aqui para convidá-lo a vir comigo, conhecer outra forma de viver.

– É bom mesmo o lugar onde mora?

– Penso que o senhor irá gostar: há ordem, disciplina, e podemos estudar e trabalhar.

– Algo que me incomoda é ficar ocioso! – exclamou o senhor Antônio.

– Lá o senhor se sentirá disposto, e o trabalho é realmente prazeroso. Venha comigo, papai, por favor.

– E Lourdes, como ficará? Ela sentirá minha falta.

– Escreva um bilhete para ela – aconselhou Nelson. – E coloque num local onde ela possa ver e ler quando seu corpo físico adormecer e ela se afastar dele. Explique sua ausência, agradeça-a. Todos nós desencarnamos, a vez dela chegará, e aí poderão ficar juntos.

– Se a estou prejudicando, não quero mais ficar perto dela. Estou entendendo que fiquei aqui por ela me querer.

Desejo ficar com você para um dia poder ajudá-la, isto se ela necessitar. Vou com você, também não tenho opção melhor.

– Vamos, papai, dê-me as mãos, vamos volitar, será como voar. Usamos este processo para nos locomover, esta é uma facilidade que nós, os desencarnados, temos.

Foram para o centro espírita, onde esperariam por duas horas. Enquanto esperavam, Nelson explicou ao pai muitas coisas: falou de reencarnação, desencarnação, como pode ser a continuação da vida após a morte do corpo físico... O senhor Antônio prestou atenção, gostou e aceitou o que o filho disse como verdade. Depois, ambos foram à colônia onde Nelson residia. Lá, o filho acomodou o pai no alojamento da escola e dedicou a ele todo o seu tempo livre, levando-o para conhecer suas tarefas e a colônia. O senhor Antônio se adaptou por ter seu tempo ocupado pelo trabalho. Matriculou-se em cursos e passou a ser útil.

Nelson estava muito contente e agradecido, encontrava-se sempre com seus pais e os dois tornaram-se amigos. Ele sabia de sua família. Eliete estava bem de saúde e viajava muito. Luciana continuava feliz com os filhos. Nelsinho administrava com competência a firma e seguia seu exemplo, era bom patrão e felizmente não traía a esposa. Seus netos eram saudáveis e alegres. Alex, sentindo-se culpado pela morte do pai, queria se punir. Eliete incentivava-o a trabalhar, afirmava que ele ficaria rico com as lojas e que passaria tudo o que tinha para ele. Porém, seu caçula continuava muito calado, saía raramente de seu apartamento, e a mãe não conseguia entendê-lo. Depois de oito meses que havia tido alta da clínica, voltou ao vício. Eliete internou-o novamente. Saiu depois de meses de tratamento, mas recaiu de novo. Vanda vendeu a casa e procurou um emprego, foi cuidar de um casal idoso com o qual morava. Sua irmã orava sempre por ele.

Nelson recebeu uma agradável notícia quando fez dois anos que estava na colônia. Seu orientador comunicou a ele:

– *Você obteve permissão para visitar seus familiares. Tem demonstrado muito interesse em aprender, fez e faz cursos e trabalha além do tempo determinado. Por isso você poderá visitar todos aqueles que desejar. Irá com um grupo a um centro espírita e de lá poderá ir aonde quiser. Ficará fora por doze horas, depois deverá voltar ao centro espírita e de lá para cá.*

– *Tenho* – disse Nelson – *um amigo, chama-se André Luiz, que está vagando. Ele muito me auxiliou. André, quando encarnado, teve conhecimentos espíritas e, quando desencarnou, foi socorrido e veio para cá, mas não quis ficar. Queria ajudá-lo e não sei como. Não entendo o porquê de ele não ter ficado aqui, disse não ter se adaptado porque a colônia não é lugar para ociosos.*

– *De fato* – esclareceu o orientador –, *aqui somos sempre convidados a ser úteis. O trabalho é uma bênção para todos nós, mas infelizmente é recusado por alguns. Por que não o visita e conversa com ele?*

– *Será que serei capaz de convencê-lo?*

– *Somos capazes quando colocamos a vontade acima das dificuldades. Demonstre sua gratidão e carinho. Tente, mas, se não conseguir, lembre-se de que todos nós temos nossas escolhas. A ociosidade acabará por cansá-lo, e, quando isso acontecer, ele saberá onde buscar ajuda.*

UM NOVO RECOMEÇO

Nelson sentiu-se eufórico com a visita que faria e a aguardou contando os dias, depois as horas. O dia marcado chegou. Com um grupo de visitantes, foi ao centro espírita e lá o grupo se dispersou. Nelson foi primeiro visitar Alex na clínica. Aguardou na fila, como da outra vez que viera com André, e teve permissão de ver o filho. Viu, a uns vinte metros da clínica, um grupo de desencarnados imprudentes, olhou-os e sentiu pena.

"Ainda bem", pensou ele, *"que não os temo mais. Como é bom estudar e aprender, sei agora como lidar com eles e tenho certeza de que não podem me aprisionar. É muito bom, é uma bênção saber, porque quem sabe domina a situação"*.

Entrou na clínica e viu o filho. Alex estava se recuperando, desta vez estava frequentando as reuniões de orações e leituras do Evangelho. Nelson o abraçou e o abençoou. Foram bênçãos de coração e com muito amor.

– *Filho, eu o perdoei, perdoe-se, por favor! Não se puna! Recomece, para isso largue de vez as drogas. Faça um trabalho voluntário!*

– *Marcinho, tive uma ideia* – falou Alex a um companheiro. – *Vou participar do trabalho voluntário aqui da clínica e, quando sair, vou ajudar uma creche ou um hospital. É isso! É ajudando que se é ajudado! Trabalhando com infelizes é que serei feliz!*

Nelson sorriu, abraçou-o e o beijou. Nenhum dos dois sentiu o contato, mas sim a vibração de carinho.

Dali, Nelson seguiu para a firma. Seu primogênito trabalhava, ele estava bem. Por alguns instantes, o filho parou de trabalhar e pensou no pai com carinho.

"Papai, obrigado por ter me ensinado a trabalhar. Que você esteja feliz onde estiver."

Voltou ao trabalho, Nelson foi à sua ex-casa. Como imaginara, tudo estava diferente. Os muros haviam sido reerguidos e cercados com mais alarmes. Virgínia havia modificado a decoração. Os pais de sua nora moravam na casa menor. Naquele horário, em férias escolares, seus netos, com os amiguinhos, brincavam na piscina. Nelson alegrou-se em revê-los sadios e contentes.

Foi ao apartamento e encontrou Eliete e Zuleica atarefadas com a organização de uma festa beneficente. Alegrou-se ao vê-las saudáveis. As duas passaram a falar sobre Luciana. Eliete tinha telefonado para a filha no dia anterior e soube que todos estavam bem. Nelson sentou-se no sofá ao lado da sua ex-esposa. Olhou-a com carinho e exclamou:

– *Se pudesse me ouvir, pediria para me desculpar!*

– Hoje estou com muitas saudades do meu marido! – exclamou Eliete. – Vou logo mais ao cemitério levar flores ao seu túmulo.

– Todos estamos bem – falou Zuleica. – Sabe o que eu queria? Que o senhor Nelson soubesse disso.

– Penso que ele sabe. Não sei como, mas sinto-o tranquilo.

– Devemos dar atenção à nossa intuição – aconselhou a empregada amiga. – O seu marido deve estar realmente bem. Quando penso nele, sinto-o calmo e em paz.

O telefone tocou. Era uma amiga de Eliete e as duas ficaram conversando por alguns minutos. Nelson permaneceu ali por mais tempo, até sua ex-esposa sair para ir ao cemitério. Abraçou as duas e saiu.

Foi visitar André. Queria muito revê-lo. Pensou por alguns instantes, querendo encontrá-lo e o sentiu no lar do filho dele. Para um espírito que sabe, é fácil localizar outro desencarnado e, mais ainda, se estiverem unidos por laços de sentimentos. Infelizmente, esse laço pode ser também de mágoa, rancor e ódio. No caso de Nelson, era de gratidão. Laço forte, que é somente ultrapassado pelo do amor.

Em frente à porta de entrada do apartamento, Nelson bateu e chamou pelo amigo.

– *André! André!*

Esperou ansioso, mas logo o amigo colocou o rosto na porta.

– *Ora, quem é vivo sempre aparece!* – André riu.

Passou pela porta. Abraçaram-se.

– *Estava com saudades de você. Vim visitá-lo e com permissão. Pode me receber?* – perguntou Nelson.

– *É um prazer revê-lo! Vamos nos sentar no banco da pracinha em frente ao prédio* – convidou André.

Os dois volitaram. Sentaram-se e se observaram.

– *Você deve estar bem, sua aparência é ótima* – opinou André. – *Mas conte-me, adaptou-se com os bons espíritos? Acertei na minha previsão?*

– *Sim, adaptei-me. Vim aqui para agradecê-lo.*

– *Você já agradeceu!* – exclamou André.

– *Agora entendo a extensão de sua ajuda. Antes via como favores recebidos, agora vejo como auxílio. Você foi generoso comigo.*

– *Sendo assim: por nada.*

– *Eu estou bem* – falou Nelson. – *E você, como está? O que está fazendo?*

– *Sinto-me bem e não estou fazendo nada.*

– *André, por favor, venha comigo e tenha um novo recomeço. Desculpe-me, não quero repetir o erro de querer para alguém aquilo que penso ser bom. Não quero forçá-lo, ser insistente. Mas se você vier comigo, ajudo-o nas suas tarefas.*

– *Não queira dar um "jeitinho" para, na colônia, fazer minhas tarefas. Julgo-o capaz disso, fazer por mim o que me compete. Amigo, você ainda não entendeu que no plano espiritual não existe isso? Não dará certo. Agradeço sua preocupação para comigo. Mas não vou.*

Nelson, com entusiasmo, contou ao amigo tudo de bom que a colônia oferecia. Ele escutou atento.

– *Venha comigo, André, por favor!*

– *Não, não vou. Agora, desculpe-me, mas tenho uma visita para fazer. Um primo meu desencarnou, encontra-se no lar dele, e eu...*

Nelson sorriu e compreendeu que, do modo dele, André era útil.

– *André, prometa-me que se estiver em dificuldade, você se concentrará em mim e me chamará? Tentarei ajudá-lo. Se eu não souber auxiliá-lo, pedirei a amigos para fazê-lo.*

– *Isso me tranquiliza!* – André sorriu.

Abraçaram-se. Nelson volitou para o centro espírita, de onde seguiria com os outros visitantes para a colônia. Mas ficaram em sua mente os dizeres do amigo quando o abraçou na despedida: *"Não se preocupe comigo, amigo. Aproveite você esse seu novo recomeço porque há muitas maneiras de se viver na espiritualidade, e esta é a minha continuação de vida!"*.

FIM

VERA LÚCIA MARINZECK DE CARVALHO
Obras ditadas pelo espírito Patrícia

Violetinhas na janela
20x27 cm | 96 páginas

Violetas na janela
16x23 cm | 296 páginas

Box contendo 4 livros

A casa do escritor
16x23 cm | 248 páginas

O voo da gaivota
16x23 cm | 248 páginas

Vivendo no mundo dos espíritos
16x23 cm | 272 páginas

  www.petit.com.br

O Mistério do sobrado

Vera Lúcia Marinzeck de Carvalho ditado por Antônio Carlos
Romance | 16x23 cm | 208 páginas

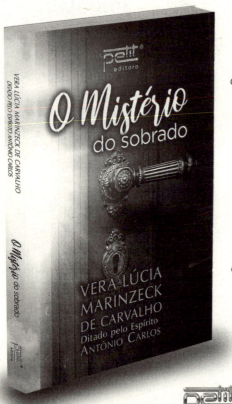

Por que algumas pessoas – aparentemente sem ligação mas com as outras – foram assassinadas naquela sala, sem que ninguém nada escutasse?
Qual foi a razão que levou as vítimas a reunirem-se justamente na casa de dona Zefa – uma mulher de bem, tão querida por toda a vizinhança?
"O mistério do sobrado" é um romance intrigante, que fala de culpa e arrependimento, de erros e acertos.
Uma narrativa emocionante, onde o mistério e o suspense certamente prenderão a atenção do leitor das primeiras até as últimas páginas – conduzindo-o a um desfecho absolutamente inesperado e surpreendente...

Entre em contato com nossos consultores e confira as condições
Catanduva-SP 17 3531.4444 | boanova@boanova.net

VERA LÚCIA MARINZECK DE CARVALHO
DITADO POR ANTÔNIO CARLOS

A INTRUSA
Romance | Páginas: 248 | 14x21 cm

Em A intrusa, o espírito Antônio Carlos, pela psicografia de Vera Lúcia Marinzeck de Carvalho, novamente nos brinda com mais uma envolvente e delicada história. Nesta obra é mostrada uma reunião diferente, na qual se explica o porquê de tantas pessoas, ao mudarem do plano físico para o espiritual, não aceitarem o socorro imediato e retornarem ao seu ex-lar terreno.

www.boanova.net | 17 3531.4444

VERA LÚCIA MARINZECK DE CARVALHO
DITADO POR ANTÔNIO CARLOS

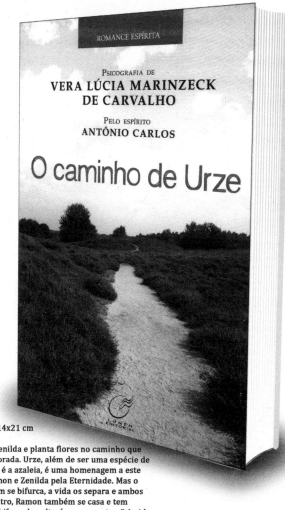

O CAMINHO DE URZE
Romance | Páginas: 248 | 14x21 cm

Ramon é apaixonado por Zenilda e planta flores no caminho que percorre para ver sua namorada. Urze, além de ser uma espécie de planta cuja mais conhecida é a azaleia, é uma homenagem a este grande amor: União de Ramon e Zenilda pela Eternidade. Mas o caminho que eles percorrem se bifurca, a vida os separa e ambos sofrem. Zenilda se une a outro, Ramon também se casa e tem filhos. Será que o caminho bifurcado voltará a se encontrar? A vida unirá Ramon e Zenilda novamente?

www.boanova.net | 17 3531.4444

Av. Porto Ferreira, 1031 - Parque Iracema
Catanduva-SP | CEP 15809-020
17 3531.4444

www.lumeneditorial.com.br | atendimento@lumeneditorial.com.br

www.boanova.net | boanova@boanova.net